A LA
CAZA
DEL
GRIEFER

UNA INCREÍBLE AVENTURA DE MINECRAFT

A LA
CAZA
DEL
GRIEFER

DESTINO

Obra editada en colaboración con Espasa Libros, S.L. – España

Título original: *The mistery of the griefer's mark*

© 2014, de la edición original: Hollan Publishing

© 2015, Espasa Libros, S.L. Sociedad unipersonal. – Barcelona, España

Derechos reservados

© 2016, Editorial Planeta Mexicana, S.A. de C.V.
Bajo el sello editorial DESTINO M.R.
Avenida Presidente Masarik núm. 111, Piso 2
Colonia Polanco V Sección
Deleg. Miguel Hidalgo
C.P. 11560, Ciudad de México
www.planetadelibros.com.mx

Primera edición impresa en España: febrero de 2015
ISBN: 978-84-670-4357-0

Primera edición impresa en México: julio de 2016
ISBN: 978-607-07-3507-3

Impreso en los talleres de Impresora y Editora Infagon, S.A. de C.V.
Escobillera número 3, colonia Paseos de Churubusco, México, D.F.
Impreso en México – *Printed in Mexico*

ÍNDICE

1
DINAMITA,
CRÁTERES
Y GRIEFERS

Hacía una mañana tranquila mientras Steve paseaba por la aldea local hacia la tienda de Eliot, el herrero, para cambiar su trigo por esmeraldas. Steve contaba con bastante trigo porque su granja iba de maravilla. Le encantaba saber que su suministro de trigo le podía proporcionar todo lo necesario para sobrevivir en Minecraft.

—¿Vas a usar estas esmeraldas para decorar tu casa? —le preguntó el herrero.

Steve sonrió.

—¿Cómo lo has sabido? —A Steve le gustaba usar las esmeraldas para decorar las paredes de su casa. Le encantaba la forma en que los bloques verdes resaltaban los grises muros de piedra. Pero también sabía que si se quedaba las esmeraldas, podría usarlas para intercambiarlas con otros aldeanos—. Gracias por las esmeraldas —dijo—. Pronto te invitaré para que veas cómo quedan.

Steve se despidió.

Ya en la calle, se encontró con su vecino Adam.

—¡Cuántas esmeraldas! —advirtió este.

—Sí, las acabo de cambiar por trigo.

—Bueno, pues si te gusta cambiar esmeraldas, tengo un montón de pociones nuevas. —Adam abrió su cofre para enseñarle las botellas con las pociones.

Adam era un alquimista que vivía con su amigo Thomas, un explorador. Eran buenos vecinos en los momentos de peligro, porque Adam tenía pociones muy útiles y Thomas era muy hábil a la hora de luchar contra los creepers. Por suerte, Steve no había necesitado de su ayuda por el momento.

—No, gracias. No necesito pociones —le respondió.

Pero Adam no pensaba aceptar un no por respuesta.

—¿En serio? ¿No quieres una poción para respirar bajo el agua? Si te quedas atrapado en el agua, podrás seguir respirando.

—Nunca estoy cerca del agua. No creo que me sirva de mucho —le dijo Steve.

—¿Y qué tal una poción arrojadiza de ralentización? Puedes usarla contra los enemigos. ¿Tienes alguna en el inventario? Puedes salir bastante maltrecho si alguien te ataca y esto es muy útil para frenarlos.

Steve se puso a pensar sobre su inventario. Lo cierto era que no tenía muchas pociones, si es que tenía alguna. Entonces recordó cierta batalla contra una bruja en la que participó junto a sus amigos Henry, Max y Lucy, y estos usaron sus pociones para alcanzar la victoria. Las pociones fueron esenciales en el enfrentamiento con la bruja.

Finalmente, sacó las esmeraldas.

—Está bien, Adam —le dijo—. Me llevaré la poción para ralentizar. He oído que hay una que dura ocho minutos.

—Sí, dura un montón, y tienes suerte porque resulta que tengo una aquí mismo.

Mientras Steve le entregaba las esmeraldas a Adam, deseó que no tuviera que arrepentirse de este intercambio.

Adam buscó en su cofre lleno de pociones.

—Qué raro. Pensaba que tenía muchas más pociones en este cofre. Sé que tenía al menos tres pociones de debilidad, pero ahora solo tengo una.

—¿Crees que alguien te está robando las pociones?

—Espero que no, pero eso es lo que parece.

Adam revisó el cofre una vez más.

—¡Oh, no! No tengo ninguna de las pociones de daño. Ayer tenía seis.

—A lo mejor las has cambiado y se te ha olvidado —sugirió Steve.

—No, llevo un registro de todas las pociones que he vendido. ¡Alguien me está robando!

—¿Quién haría algo así? —le preguntó mientras Adam le entregaba la poción de debilidad.

Adam estaba furioso: había trabajado mucho para preparar todas esas pociones y no quería que nadie se las robara.

—Seguro que ha sido un griefer —le dijo.

—¿Un griefer? —Steve se sintió mal por su amigo. Y también empezó a preocuparse por él mismo. Si el griefer había atacado a su vecino, él podría ser el siguiente.

—Sí, ¿cómo, si no, han desaparecido las pociones? —preguntó Adam.

Steve señaló unos restos de lana que había en el suelo al lado del cofre.

—Mira eso. ¿Has dejado caer esa lana?

—No —dijo Adam según recogía la lana y la partía en dos—. Qué extraño.

Mientras Steve proseguía por el camino de hierba, se

puso a pensar sobre el griefer que había robado las pociones de Adam. Se preguntó si conocería a su vecino y por qué motivo le habría robado.

«¡Pum!» Steve oyó una explosión a lo lejos.

«¡Catapum!» Hubo una segunda explosión. Steve se puso a correr. El sonido provenía de la dirección en que se encontraba su granja de trigo. Corrió hacia su casa y según se aproximaba, vio a su ocelote, Achuchones, y oyó sus maullidos. Pero no veía a su perro Rufus.

—Rufus —llamó, pero este no acudía. Llamó a Rufus de nuevo, sin resultado. Steve empezó a preocuparse por su perro. Caminó por la granja de trigo y vio a Rufus parado ante un gran cráter.

—¡Rufus! —gritó Steve con alegría. En cuanto el perro se acercó, Steve advirtió horrorizado el enorme cráter que había detrás del can. Alguien había creado un agujero enorme en su propiedad. Se quedó mirándolo mientras se preguntaba quién podría haberle hecho tal cosa, pero por otro lado, estaba contento de que Rufus y Achuchones no hubieran resultado heridos en la explosión. A Steve le costó un momento entender que la granja de trigo había sido destruida. Todo el esfuerzo que había invertido se había ido por la borda con esa explosión. No podía imaginar cuánta dinamita habría invertido el responsable para volar por los aires su granja de trigo.

Nervioso, Steve entró en su casa despacio, buscando la presencia de dinamita en todos los rincones. Se alegró de que su casa estuviera a salvo, pero se quedó destrozado por la pérdida de la granja. Sin ella, se había quedado sin recursos para intercambiar. Le molestaba haber cambiado las escasas esmeraldas que le quedaban por una poción que quizá no fuera a usar jamás. Steve sabía que tendría que levantar la granja de nuevo, pero no tenía semillas. Necesitaba ayuda. Tendría que usar las pocas esmeraldas que decoraban su sala y cambiarlas por materiales. Se le agolpaban las preguntas. Quería encontrar al griefer y preguntarle por qué había destruido la granja de trigo de un hombre inocente.

Miró hacia el campo donde sus ovejas solían pastar... ¡descubrió que habían desaparecido! Por suerte, sus vacas y cerdos seguían deambulando tranquilos por el campo de hierba.

Steve inspeccionó el resto de la casa. Entró en todas las habitaciones y comprobó que todo estaba correcto.

—Al menos, Achuchones y Rufus están bien y todavía tengo la casa. Siempre puedo levantar de nuevo la granja —se dijo. Quería vengarse del griefer. Corrió hacia su habitación para tomar su querida espada encantada de diamante de su cofre. Pensaba ataviarse con la armadura y buscar al responsable. Pero en cuanto entró en el dormitorio, descubrió que el cofre estaba abierto.

—¡Oh, no! —gritó al ver el cofre vacío. ¡Su querida espada encantada de diamante había desaparecido! ¡Le habían robado!

2
VIEJOS AMIGOS,
NUEVOS
PROBLEMAS

Steve contempló el cofre vacío que una vez había contenido su espada y descubrió un pequeño pedazo de lana en el suelo. Era igual que la lana que había visto cerca del cofre de Adam, pero no se fijó mucho tiempo en la lana porque necesitaba ayuda para reconstruir la granja y encontrar la espada. Llamó enseguida a sus amigos cazatesoros Henry, Max y Lucy, que se presentaron lo más rápido que pudieron en la granja.

Cuando Steve vio a sus viejos amigos ante la puerta se sintió emocionado, pero también estaba enfadado porque no era una reunión feliz. La última vez que estuvieron juntos, celebraron su victoria contra los zombis que habían atacado el pueblo. Ahora tenían que encontrar al griefer que había destruido la granja de trigo y también recuperar su espada. Pero primero venía la reconstrucción. Si no levantaba de nuevo la granja, sus recursos serían limitados.

—Steve, no tienes ni idea de dónde hemos estado —dijo Henry.

—Hemos ido al Inframundo; nos volaban ghast por encima mientras nos disparaban sus cargas ígneas y Max casi se cae a la lava —dijo Lucy.

—Pero entonces encontramos varios tesoros en una fortaleza. ¡Así que valió la pena! —comentó Max mientras depositaba su espada de diamante en uno de los cofres de Steve.

—¡Chicos, alguien me ha robado la espada! —espetó el anfitrión.

—¡Tu espada! —exclamó Lucy—. ¿Quién podría hacer algo así?

—¿Estás diciendo que alguien ha volado tu granja y se ha llevado tu espada? —preguntó Henry.

Steve asintió con la cabeza.

—¿Se te ocurre quién puede haber sido? —indagó Max, acercándose mientras hablaba—. ¿Algún sospechoso?

—No. No tengo ni idea de quién me habrá hecho esto. Pero les puedo decir que mi vecino Adam es alquimista y alguien le ha robado las pociones, así que el griefer no solo anda tras de mí.

—Si el griefer sabía que Adam tenía pociones y también de tu espada de diamante, entonces tiene que vivir cerca, y seguramente te conozca —teorizó Max.

—¿Qué me dices de tu vecino, el de la casa de al lado? —preguntó Lucy—. No recuerdo que estuviera ahí la última vez que vinimos.

—Esa es la casa de mi amiga Kyra. Es muy agradable. Hace poco me cambió un poco de madera por el trigo para que yo pudiera construir la extensión de la casa. Nunca le haría daño a nadie.

—¿Sabía que tenías una espada encantada de diamante? —preguntó Max.

Steve solo pudo balbucear.

—Pues... sí, pero...

—Entonces tenemos que considerarla como sospechosa —dijo Max.

—Puede que sí... —dijo Steve. Entonces, sacudió la cabeza—. Pero quizá no deberíamos centrarnos tanto en buscar venganza. Lo importante ahora es reconstruir la granja de trigo.

—Nos quedaremos contigo hasta que la granja esté completa de nuevo —dijo Lucy—. Eso es lo que hacen los amigos, se ayudan unos a otros.

—Pero también tenemos que encontrar al griefer —dijo Henry—. Si no lo hacemos, es posible que vuelva a atacar y que dañe o robe las propiedades de otra gente.

—Y también te podría volver a atacar —añadió Lucy.

Steve sabía que tenían razón y que tenían que encontrar al griefer: no solo para vengarse, sino también para ayudar a otros.

El cielo se oscurecía y empezaba a llegar la noche. Dos endermen pasaron por la ventana portando bloques de tierra.

—¡Endermen! —avisó Lucy—. ¡Se pueden teletransportar aquí!

—Mi casa está demasiado alta para que entren, no te preocupes. —Steve había pensado mucho en la planificación de su casa y de su vida, y por eso se sorprendió tanto al resultar víctima de un griefer.

Pero antes de que cayera la noche, alguien se presentó en su puerta.

3
TÚNELES

Kyra estaba equipada y plantada ante la puerta.

—No ataques —le pidió Steve.

—No he venido a atacarte, ¡necesito tu ayuda! Alguien ha llenado mi casa de lava. —Kyra se quitó la armadura y entró en la casa. Miró a Henry, a Max y a Lucy—. ¿Quiénes son?

—Estos son mis amigos —dijo Steve—, y han venido para ayudarme. ¿No te has dado cuenta de que han volado mi granja con dinamita?

—No confío en ella —dijo Max. Entonces se acercó a Kyra—. ¿Cómo sabemos que tu casa está realmente inundada por lava? ¿Y por qué has venido aquí con armadura si no pensabas atacarnos?

—No quería que me atacaran los enemigos de fuera. He tenido que luchar contra un jinete arácnido de camino a aquí, y era muy salvaje —explico ella.

—Hay un griefer entre nosotros —anunció Steve—, y no puedo confiar en nadie.

—Necesito un sitio para pasar la noche —les dijo Kyra al grupo—. ¿Puedo quedarme aquí?

Los demás se miraron unos a otros. Tenían que confiar en ella.

—Claro —respondió Steve—. Si nos ayudas a encontrar al griefer y a reconstruir la granja de trigo, te ayudaremos con la casa. Mañana partiremos para buscar más semillas con las que levantar la granja de nuevo.

Henry empezó a contarles a los demás el plan para encontrar al griefer.

—Confieso que una vez yo también fui un griefer, así que sé cómo trabajan. Estoy seguro de que este está cerca y está planeando su siguiente jugada.

Todos se dirigieron a sus camas, pero en cuanto Steve entró en el dormitorio, gritó «¡Socorro!» y cayó en un profundo agujero que había en la habitación.

Cuando aterrizó, perdió algunos corazones y se encontró en el suelo de un polvoriento túnel. Había un cofre frente a él. Henry saltó al agujero después de Steve.

—¡No abras ese cofre trampa! —gritó Henry—. Es una trampa de foso de lava. Si lo abres, se activa un mecanismo que abre el suelo a tus pies y caes en la lava.

Lucy, Max y Kyra saltaron al agujero siguiendo a Henry y a Steve.

—¿Qué es esto? —preguntó Lucy.

—Es un túnel —explicó Henry—. Es probable que sea así como escapó el griefer.

—Me pregunto adónde llevará —dijo Kyra.

Steve observó el túnel, que parecía no terminar nunca. Los estrechos muros de tierra le hacían sentirse atrapado.

—Volvamos a mi casa. Ya es de noche y podrían aparecer creepers. Quiero esperar hasta que sea de día para explorar.

Max colocó una antorcha.

—Estaremos bien, y tenemos algo de luz.

El grupo avanzó poco a poco por el túnel.

Lucy descubrió una puerta en la pared de tierra.

—¡Miren! ¡Hay una puerta! ¡Podría ser la casa del griefer!

—Vamos a abrirla —dijo Henry.

Max abrió la puerta de la casa. Echaron un vistazo y vieron una habitación llena de lava.

Steve exclamó:

—¡Es la casa de Kyra!

—Les dije que no era de confiar —dijo Max al grupo.

Kyra se defendió.

—Si fuera el griefer, ¿creen que llenaría mi casa de lava?

—Podrías estar engañándonos —respondió Henry.

Steve cerró la puerta.

—Este túnel es muy largo, podría llevar a otras casas.

—Estoy segura de que la puerta de la casa del griefer está en algún lugar del túnel —dijo Lucy.

—Eso si Kyra no es el griefer. —Henry miró hacia ella. No confiaba en Kyra en absoluto.

—Tenemos que confiar en Kyra —dijo Steve, y todos estuvieron de acuerdo.

Según avanzaron por el túnel, la luz se fue haciendo cada vez más tenue. Entonces apareció un esqueleto y se acercó hacia ellos.

Kyra sacó su espada de oro y se lanzó contra el esqueleto: con un solo golpe, logró derrotarlo.

—Si fuera mala, ¿no habría dejado que los atacara el esqueleto? —les preguntó Kyra después de su victoria contra el violento esqueleto.

El grupo siguió su camino con cuidado en la oscuridad del túnel.

—Tenemos que mantenernos juntos si queremos sobrevivir —dijo Henry.

—No puedo creer que alguien haya cavado un túnel tan largo. Tiene que haberles costado mucho tiempo —dijo Steve mientras caminaban. Seguían atentos a la aparición de enemigos hostiles que podían aparecer por los sombríos túneles.

Con un poco de luz, Steve se acercó hacia otra puerta.

—Me pregunto quién vivirá aquí —dijo.

El grupo se aproximó a la puerta.

—Voy a abrirla —dijo Max.

—¡No lo hagas! —respondió Kyra—. Es una puerta de hierro, podría ser una trampa.

Pero Max ya había abierto la puerta y pasaron adentro.

—¿De quién es esta casa? —preguntó Max.

La puerta se cerró tras ellos. No había ninguna baldosa de presión para abrir la puerta y volver al túnel.

—¡Estamos atrapados! —gritó Lucy.

Unos dispensadores llenos de flechas empezaron a disparar al grupo mientras estos se agachaban para evitar ser heridos.

—¡Es una trampa! ¡Agáchense! —gritó Henry.

Steve esquivó con trabajos una flecha que se disparó cerca de su cabeza.

—Tenemos que vaciar los dispensadores —sugirió Lucy.

El grupo fue capaz de detener las flechas. Cuando terminó la ofensiva, vieron una puerta de madera. Steve la abrió y así volvieron al túnel.

—Jamás me había alegrado tanto de volver a un túnel siniestro —bromeó Lucy.

—No te confíes tanto —dijo Henry al ver a una araña de cueva moviéndose por la pared que había detrás de ella.

Kyra volvió a blandir su espada y golpeó a la araña.

—Estoy impresionado —le dijo Max.

Sin dejar de prestar atención a las paredes de la cueva, el grupo fue avanzando con cuidado por el túnel.

Pero se detuvieron en seco cuando oyeron algo que sonaba como huesos y que se acercaba hacia ellos.

«Racarrac, racarrac.» El sonido se hacía más fuerte.

—Ese sonido es demasiado fuerte, no es un solo esqueleto; suena más bien a un grupo de ellos —dijo Steve, nervioso.

El ruido que provenía de las tinieblas era cada vez más alto, hasta que el grupo pudo ver los blancos cuerpos de los esqueletos avanzando hacia ellos.

—¡Cuidado! —gritó Henry cuando un esqueleto le disparó una flecha a Kyra.

Con un potente golpe, Max derrotó a uno de los esqueletos. Lucy y Kyra lucharon contra dos de ellos mientras Henry y Steve se encargaban de tres.

Henry encontró un generador de esqueletos en un rincón. Era una jaula pequeña colocada en el muro de tierra y que tenía un pequeño esqueleto entre sus barrotes negros.

—¡He encontrado el generador! —anunció Henry con emoción.

Henry sacó un pico de su inventario y golpeó la jaula con todas sus fuerzas, rompiendo así el generador de esqueletos. Puesto que lo había dejado hecho pedazos, los esqueletos ya no se podían multiplicar.

¡El grupo se había salvado ahora que su número no iba a aumentar! Y como Henry había roto el generador, fue recompensado con EXP. Obtener un nivel de EXP significaba que ahora tenía el poder de encantar.

—¡Buen trabajo! —gritó Steve mientras corría hacia

un esqueleto con su espada de oro—. Si tuviera mi espada encantada de diamante, esta batalla ya habría terminado hace tiempo.

Pero a pesar de tener solo una espada de oro, Steve acabó con el esqueleto.

—Has hecho un buen trabajo sin ella, amigo mío —dijo Henry mientras se unía a los demás para luchar contra los esqueletos que quedaban. Cuando el último de ellos cayó derrotado, el grupo siguió adentrándose en el túnel.

Pese a haber ganado la batalla, seguían alerta ante la presencia de otros enemigos hostiles que pudieran aparecer en esta zona tan poco iluminada. Era peligroso, pero estaban en una misión. Tenían que encontrar al griefer. Tenían que detener a este maligno atormentador antes de que causara más problemas.

Steve vio una puerta a lo lejos.

—¡Miren, otra puerta! —dijo. Corrió raudo hacia ella. Entró tan deprisa que no oyó a Henry llamándolo para prevenirlo.

—¡No pises ahí! —le dijo, pero ya era demasiado tarde.

Steve había pisado una cuerda que abrió un agujero.

El grupo saltó hacia atrás para evitar caer en el profundo hueco.

—Gracias por avisar, Henry —dijo Steve.

Pero no hubo respuesta.

Lucy llamó a Henry, pero este no contestó.

—¡¿Henry?! —llamó Steve de nuevo. Pero Henry no articuló ni una palabra. En el suelo solo había un pequeño pedazo de lana, ni rastro de él.

¡Henry había desaparecido!

4
¿DÓNDE ESTÁ HENRY?

Lucy estaba alterada.

—¿Dónde está Henry? —preguntó.

—Tenemos que encontrarlo —dijo Max mientras colocaba otra antorcha—. ¿Alguien lo ve?

—Debe de haber caído por el agujero cuando se ha activado la trampa —dijo Kyra.

—¿Cómo vamos a encontrarlo? —preguntó Lucy.

—No estoy segura, pero no podemos quedarnos aquí. Es demasiado peligroso. Tenemos que seguir adelante y ya pensaremos en una forma de encontrarlo. —Kyra empezó a caminar hacia la puerta que Steve había descubierto.

—No podemos dejar a nuestro amigo, Kyra —dijo Lucy—. Henry es parte de nuestro equipo. No podemos abandonar a nuestros amigos sin más cuando las cosas se ponen demasiado complicadas o peligrosas.

—¡Detrás de ti! —le gritó entonces Kyra.

Lucy se volvió y vio un creeper, que dejó escapar un fuerte siseo. Antes de que explotara, el grupo corrió veloz hacia la puerta. Cuando la abrieron, vieron a Adam.

—¿Se puede saber qué haces aquí, Adam? —preguntó Steve.

Adam estaba igual de sorprendido de verlos.

—Esta es mi casa —dijo—. Vivo aquí. No sabía que ahí había una puerta, esto es nuevo.

Steve le presentó sus amigos a Adam y entonces preguntó:

—¿Por qué hay un túnel subterráneo que lleva a tu casa?

—No lo sé, estoy desconcertado. Y por si fuera poco, Thomas ha desaparecido. Lo he estado buscando por todas partes y empiezo a preocuparme de verdad. Primero, pierdo todas las pociones, y ahora pierdo a mi mejor amigo. ¿Qué está pasando aquí?

—Nosotros también hemos perdido a nuestro amigo —dijo Steve.

—Sí, lo hemos perdido en el túnel —dijo Lucy.

—¿Y se fueron sin encontrarlo? —preguntó Adam.

Parecía sorprendido de que hubieran abandonado a un amigo.

—Tuvimos que irnos, nos estaba atacando un creeper —dijo Kyra.

Justo entonces hubo una gran explosión.

—¡Bueno, pues los siguió! —gritó Adam mientras huían del creeper explosivo, que había destrozado la cama de Adam.

El grupo se refugió en la sala de Adam.

—Ahora que ya no está el creeper, quiero encontrar a Henry —dijo Lucy.

—No pienso volver a ese túnel —dijo Kyra—. Es una trampa mortal. Adam, no tienes ni idea de cuántos enemigos han aparecido mientras estábamos ahí abajo; ha sido espantoso.

—¿Tienen algún plan? —preguntó Adam—. Porque si

es así, me gustaría unirme a ustedes y encontrar a Thomas. Hay que ponerle el alto a ese griefer.

El grupo vio la luz del amanecer asomando por la sala de Adam.

—Creo que es seguro volver a casa —dijo Steve—. Tenemos que buscar semillas. Mis amigos me están ayudando a reconstruir la granja de trigo.

—Primero tenemos que encontrar a Henry —le recordó Lucy.

—Creo que tengo una idea sobre dónde podemos mirar —dijo Adam—. Pero primero tenemos que viajar al Inframundo para conseguir verrugas infernales y así podré hacer algunas pociones para ayudarnos en la búsqueda.

—¡¿Al inframundo?! —Lucy parecía sorprendida y reacia a viajar hasta esa tierra tan peligrosa—. Eso nos alejará todavía más de Henry.

—Y además, ¿cómo sabemos que podemos confiar en ti? —preguntó Max—. Podrías ser el griefer y querer dejarnos atrapados en el Inframundo.

—Si fuera el griefer, ¿me estaría robando mis propias pociones? —preguntó Adam.

—Yo voy contigo, Adam —le dijo Kyra—. Sé lo importante que es tener pociones cuando haces un viaje peligroso. —El resto del grupo estuvo de acuerdo. Tenían que encontrar a Henry, pero ir sin pociones sería una locura y podría hacerles más mal que bien; así nunca lograrían salvar a su amigo.

El grupo siguió a Adam afuera y crearon un gran portal con obsidiana, pedernal y acero. Aparecieron en la salvaje tierra rojiza del Inframundo.

Caminaron juntos por el paisaje lleno de charcos de lava.

En apenas unos segundos, dos ghasts bajaron del cielo y arremetieron contra ellos, lanzándole una bola de fuego a Adam. Este golpeó la bola con su espada, devolviéndola hacia el ghast y acabando así con él. El otro ghast disparó también una bola de rojas llamas ardientes y Max la golpeó para mandársela de vuelta. ¡Estaban a salvo! Entonces, cayeron del cielo unas lágrimas de ghast.

—Estas lágrimas son perfectas para hacer pociones —dijo Adam mientras las recogía del suelo—. Pero tenemos que encontrar verrugas infernales.

Lucy estaba emocionada.

—Veo una fortaleza a lo lejos —dijo, pero entonces recordó que Henry estaba desaparecido—. Henry es un experto en conseguir tesoros de las fortalezas infernales, ojalá estuviera aquí.

—Lo encontraremos —la tranquilizó Max—. Solo tenemos que estar preparados y podremos salvar a nuestro amigo y detener al griefer.

—Tenemos que entrar en la fortaleza —le dijo Adam a Lucy—. Ahí es donde están las verrugas infernales. Sé que extrañas a Henry, pero quizá podamos encontrar algunos tesoros y llevárselos como recuerdo.

—Lo dices como si entrar en la fortaleza y encontrar las verrugas infernales y los tesoros fuera fácil. La última vez que estuve aquí, estuve luchando todo el tiempo contra monstruos y casi muero un millón de veces —dijo Steve.

—No seas exagerado, Steve —dijo Lucy—. Es peligroso, pero tampoco tanto.

En el momento en que Lucy dejó escapar esas palabras, un hombrecerdo zombi apareció desde detrás de una cascada de lava. Lucy lo golpeó por accidente, provocándolo y haciendo que cargara hacia ella con su espada de oro. La punta de la espada apuntaba hacia la cabeza de Lucy.

Max corrió hacia el hombrecerdo zombi y lo golpeó con mucha fuerza, salvando a Lucy.

Ella suspiró con alivio.

—¡Gracias, Max!

El grupo siguió avanzando por los charcos de lava, sin bajar la guardia mientras se aproximaban a la fortaleza.

—Estoy viendo a alguien entrando en la fortaleza —dijo Kyra—. Tenemos que llegar allí antes de que se lleve el tesoro y las verrugas infernales.

—¡Creo que es Thomas! —gritó entonces Adam.

5
THOMAS, ¿PUEDES OÍRME?

—¿Thomas? —llamó Adam en la majestuosa fortaleza infernal, pero nadie contestó.

—Thomas, ¿estás ahí? —preguntó Kyra, pero tampoco hubo respuesta.

Adam volvió a intentarlo.

—Thomas, ¿puedes oírme? —Sonó derrotado al preguntar.

—¿Estás seguro de que era Thomas? —preguntó Kyra.

—Sí, llevaba un casco marrón como el que siempre se pone cuando sale a explorar.

—Pero pensaba que había desaparecido —dijo Lucy.

—Suele avisarme cuando sale a explorar, por eso estaba preocupado. Sobre todo cuando hay alguien que me ha robado todas las pociones. Me dio la impresión de que alguien había salido a buscarme —dijo Adam.

—A mí también me pareció eso —dijo Steve.

De pronto, a lo lejos, divisaron a una persona con casco marrón que se alejaba de ellos.

—¡Thomas! —volvió a llamar Adam.

La persona se marchó corriendo.

—Supongo que no era él —dijo Adam con tristeza.

—Estamos perdiendo el tiempo —comentó Lucy al grupo—. Henry ha desaparecido. Agarremos la verruga infernal y volvamos al mundo principal.

En la mayoría de las fortalezas infernales, las verrugas infernales se encuentran al lado de las escaleras, pero esta fortaleza estaba vacía. No había ni rastro de los hongos.

—Tenemos que encontrar otra fortaleza. El que ha venido antes que nosotros se debe de haber llevado todas las verrugas infernales —dijo Max.

—¿Seguro que no hay hongos en ninguna de las otras habitaciones? —preguntó Lucy.

—Sí, he mirado en las demás mientras esperaban en la escalera de ladrillos de infiedra —dijo Adam—. Esta fortaleza ya ha sido saqueada, estoy seguro de que el tesoro también ha desaparecido. Tenemos que encontrar otra fortaleza.

Oteando el horizonte, solo vieron campos de infiedras y charcos de lava. El grupo se estaba cansando de este viaje al Inframundo, empezaba a parecerles una pérdida de tiempo cuando tenían que salvar a Henry.

—Mi barra de hambre está muy baja —dijo Steve.

—La mía también. No creo que tenga suficiente energía para dar otro paso, y desde luego no para entrar en otra fortaleza —añadió Kyra.

—Lucy y yo también tenemos baja la barra de comida —dijo Max—. Estamos debajo de los niveles mínimos. —Un ataque más de un enemigo hostil los dejaría sin fuerzas para sobrevivir.

—Por eso no me gusta el Inframundo —se quejó Steve—. Aquí no hay comida y puede acabar contigo.

—Yo todavía tengo un montón de energía. Podría construir unas vías —sugirió Adam—, así podríamos movernos rápido por el Inframundo en tren. Podrán llegar a otra fortaleza sin usar las barras de hambre.

—Lo del tren es una gran idea —dijo Lucy.

Adam empezó a trabajar empleando toda su energía para colocar las vías y crear un tren en el Inframundo.

El grupo esperó mientras este trabajaba, intentando usar la menor energía posible.

—Espero que no se tarde mucho tiempo —dijo Lucy—, quiero encontrar a Henry.

—Tenemos que ser pacientes —dijo Steve—. Adam tiene razón, tenemos que encontrar verrugas infernales. El griefer nos ha dejado sin materiales, y quién sabe cuánto daño habrá hecho desde que nos hemos ido. A lo mejor ha destruido mi casa.

—Yo ni siquiera tengo casa —dijo Kyra con tristeza.

Las quejas se detuvieron en seco cuando un pequeño cubo de magma saltó hacia Max. Sus amenazantes ojos de color naranja y amarillo se quedaron mirándolo como si se estuviera preparando para el ataque. Max sacó el arco y las flechas. El cubo saltó hacia él y la flecha de Max atravesó su piel negra y carmesí, liberando la crema de magma.

—Tengo que decírselo a Adam; podemos usar esta crema para fabricar una poción de resistencia al fuego —dijo Max orgulloso.

Pero la victoria fue breve. Apenas unos segundos más tarde, dos cubos más saltaron hacia Lucy y Kyra.

Kyra luchó con su espada de oro. El cubo se acercó a ella.

—¡Dale! —gritó Max—. ¡Dale ahora!

Kyra golpeó al cubo pero no destruyó a la gelatinosa bestia.

—¡Ayuda! —exclamó Kyra.

Lucy luchó contra el cubo con una espada encantada de diamante, pero a pesar de tener un arma poderosa, el cubo resultó ser un oponente difícil.

—Tengo la energía muy baja —dijo débilmente mientras reunía la energía suficiente para combatir.

Steve se metió en la lucha con su espada de oro, pero Lucy le dio un buen golpe al cubo y de él emanó crema de magma.

—¡Bien hecho! —exclamó Max.

Kyra volvió a darle al cubo con toda la fuerza que le quedaba y acabó con el feroz enemigo.

—¡Estamos a salvo! —dijo Kyra con júbilo.

—Pero no nos queda suficiente energía para luchar contra más monstruos. Puede que este sea nuestro fin —dijo Steve nervioso.

—No, estaremos bien —confirmó una voz. El grupo miró hacia arriba para ver a Adam en un tren—. He encontrado una fortaleza. Suban al tren y los llevaré allí.

El grupo prosiguió su camino en vagones individuales. El viaje hasta la fortaleza fue como un recorrido turístico con la vista a las cascadas de lava y la comodidad de los vagones. Pronto llegaron a la fortaleza infernal.

—¡Ya hemos llegado! —dijo Adam en cuanto pararon enfrente de una gran fortaleza.

—Espero que no tengamos que luchar contra ningún ghast —dijo Steve—. Si no, estaremos perdidos.

—Solo hay que entrar, tomar la verruga infernal y salir. Será rápido —dijo Adam.

—¿Y qué hay del tesoro? —preguntó Lucy.

—Tendremos que dejarlo para otro momento. Ahora tenemos que centrarnos en el hongo.

En cuanto el grupo entró en la fortaleza, extrajeron las

verrugas infernales que crecían al lado de las escaleras en el centro de la construcción.

—¡Lo tenemos! —Adam recogió la última de las verrugas infernales. —Ahora tenemos que construir un portal de vuelta a casa.

Mientras construían el portal hacia el mundo principal, Steve vio algo en una esquina de la fortaleza que estaba escondido por la pared de ladrillos de infiedra. Se acercó para inspeccionar la esquina.

—¡¿Qué haces?! —gritó Adam—. ¡Tenemos que entrar en el portal y volver enseguida! ¡Ven con nosotros!

Justo antes de que Steve entrara en el portal, echó un último vistazo a lo que había cerca de la pared de ladrillos de infiedra. Habría jurado que se trataba de un pedazo de lana.

6
TRAMPAS

El grupo salió del portal para buscar comida. Lucy vio un cerdo caminando por el campo de hierba.

—Cazaré al cerdo y podremos comer. —Lucy sacó el arco y disparó al animal con mucha pericia. Usando carbón, cocinó el cerdo fuera de la casa de Steve. Todos se sentaron en el enorme cráter y empezaron a comer.

—Creo que podremos reconstruir la granja —dijo Lucy mientras masticaba la comida y rellenaba su barra de energía.

Max caminó hacia un manzano y tomó uno de los frutos rojos y frescos.

—¿Alguien quiere una manzana?

Kyra le dio un mordisco.

—Creo que todos hemos llenado ya nuestras barras de hambre.

Steve miró al grupo.

—¿Alguien tiene algún plan para encontrar a Henry?

—Creo que deberíamos volver al túnel. Es nuestra única esperanza para encontrarlo —dijo Lucy.

—¡El túnel! —gritó Kyra aterrorizada—. No creo que pueda volver ahí. Es demasiado peligroso.

—Henry es nuestro amigo y tenemos que encontrarlo —dijo Lucy defendiendo su plan—. Yo voy a entrar.

—Tu casa está destruida, Kyra. ¿No quieres averiguar

quién es el responsable? Estoy seguro de que cuando encontremos al griefer, encontraremos a Henry —dijo Steve.

—Entraremos en el túnel por la casa de Steve —sugirió Adam.

Antes de que pudieran entrar en la casa, el ocaso empezó a caer en el mundo principal. Y mientras el grupo terminaba su comida con calma, dos endermen aparecieron llevando unos bloques.

—No los miren —dijo Max, pero era demasiado tarde. Kyra se había fijado en uno de los ojos blancos del enderman y este se teletransportó a su lado.

Mientras Kyra alcanzaba su espada, Lucy golpeó al enderman con su espada de diamante. Le hizo daño, pero no consiguió destruirlo. Max disparó una flecha de fuego e hizo arder al monstruo, pero el poderoso ente todavía seguía acosando a Kyra.

Steve corrió hacia el enderman y lo golpeó con todas sus fuerzas para lanzarlo al lago que había en el extremo de la granja de trigo. Steve cayó después que el enemigo y nadó para ponerse a salvo en la orilla. En cuanto salió del agua, se dio cuenta de que había usado mucha energía para enfrentarse al enderman.

—Bien hecho —dijo Adam—. Pero si hubieras comprado mi poción de respirar bajo el agua, habría sido más fácil.

En cuanto el grupo se dirigió hacia la casa, Max miró sin querer al otro enderman, que se teletransportó junto a él. Max sacó su espada de diamante preparado para luchar, pero Steve le llamó la atención:

—¡Corre! ¡Mi casa está a salvo de los endermen, está demasiado alta para ellos!

En vez de combatir a la malvada criatura malgastando

sus energías, Max y el grupo corrieron hacia la casa. En cuanto abrieron la puerta, todos cayeron por un agujero en la sala de Steve.

«¡Pum!» Aterrizaron en un nuevo túnel de tierra.

—¿Dónde estamos? —preguntó Lucy.

—Parece una sala vacía —respondió Max.

—¡Estamos atrapados! —gritó Kyra.

—No estamos atrapados —explicó Lucy—. Vamos a cavar para salir de aquí.

Lucy sacó su pico y empezó a romper la pared mientras los demás hacían lo propio. Según golpeaban la pared, fueron derribando el muro hasta llegar a un túnel. El conducto contaba con varias puertas.

—Apuesto a que el griefer vive detrás de una de estas puertas —dijo Lucy.

—¿Cuál abrimos? —preguntó Steve.

—Vamos a probar con esta puerta de madera. —Kyra abrió la puerta y encontró una habitación con un laberinto de lana. La lana ocupaba toda la habitación, haciendo que fuera virtualmente imposible moverse por ella.

—¿Qué es esto? —preguntó Kyra.

—Parece un laberinto de lana —dijo Max.

—Steve pensó en la lana que había estado viendo. Ahora sabía que eso tenía que significar algo. Tenía razón, el griefer estaba dejando una marca, ¿pero por qué? ¿Acaso todo formaba parte de un gran rompecabezas? ¿Llegarían hasta Henry si cruzaban el laberinto de lana?

El grupo fue avanzando por el laberinto. Era muy complicado: la lana formaba paredes que llegaban hasta el techo y el camino era extremadamente angosto.

—¿Creen que aquí pueden aparecer criaturas hostiles? —preguntó Kyra con miedo.

—No sé, pero espero que este laberinto termine pronto —dijo Steve.

Todos se detuvieron cuando el laberinto se partió en dos caminos distintos.

—¿Cuál seguimos? ¿Izquierda o derecha? —preguntó Max.

—Quizá podríamos dividirnos —dijo Adam.

—No creo que eso sea buena idea —dijo Steve—. ¿No les parece? Es decir... Puede que no volvamos a encontrarnos, así que mejor si nos mantenemos juntos.

—¡Yo solo quiero salir de aquí! —gritó Kyra.

Max se asomó por el lado izquierdo.

—Vamos por la izquierda, parece que la lana no es tan alta por ese lado. A lo mejor es una señal. —Antes de que el grupo tuviera oportunidad de responder, Max ya estaba avanzando por la izquierda y los demás tuvieron que seguirlo.

Al final del camino había una puerta.

—¡Vaya! ¡Parece que he escogido el camino correcto! —gritó Max con alegría.

Entonces abrió la puerta y dejó escapar un grito ahogado.

7
EL ATAQUE
DEL CONEJO

Habían vuelto a casa de Steve.

—¿Cómo es posible? —preguntó Max mientras entraba en la casa y se encontraba todas las camas quemadas.

—¡No puedo creer que la puerta llevara a mi casa! —dijo Steve aturdido—. ¡Y las camas! ¡¿Dónde vamos a dormir?!

Lucy se mostró frustrada.

—¿Cómo es posible que todavía no hayamos encontrado a Henry y que ahora no tengamos dónde dormir?

—Podemos hacer camas nuevas o pueden quedarse en mi casa —dijo Adam.

Decidieron ir a casa de Adam en vez de fabricar camas nuevas. Su casa estaba bajando el camino, y mientras cruzaban el verde paisaje, se mantuvieron alertas en busca de monstruos que moraran por la zona de noche.

—A ver qué le ha hecho el griefer a tu casa —dijo Steve mientras se acercaban a la puerta de Adam.

—No me importa lo que le haya hecho, solo quiero que Thomas esté de vuelta.

Justo cuando Adam iba a abrir la puerta de casa, Steve lanzó una advertencia.

—¡Alto! —gritó—. Tenemos que comprobar si no hay dinamita.

Adam y Steve les pidieron a los demás que se quedaran fuera mientras inspeccionaban las habitaciones.

—Todo parece estar en orden. Es increíble que el griefer no haya hecho nada —dijo Adam—. Pero ojalá Thomas estuviera aquí. No hay ni rastro de él.

Steve les confirmó a los demás que era seguro entrar en la casa.

—Podemos pasar aquí la noche y por la mañana construiremos camas nuevas.

Empezaba a hacerse tarde y todos necesitaban dormir. No querían enfrentarse a ninguna criatura por la noche, ya habían tenido suficientes aventuras de día.

Steve se tumbó en la cama vacía de Thomas. Entonces oyó un ruido, notó algo que le rascaba en el pie y descubrió un pedazo de lana. Pero estaba oscuro y pronto cayó dormido sin decirle a nadie lo que había descubierto. No estaba seguro de qué significaban todas esas pistas y no quería decir nada hasta que pudiera demostrar que Thomas podía ser el vándalo que les había causado tantos problemas. Tampoco quería culpar al compañero y mejor amigo de Adam por cosas que quizá no había hecho. ¿Podría ser que alguien estuviera tendiéndole una trampa a Thomas?

La mañana siguiente, mientras rompía el alba, Adam los despertó de su sueño reparador y les sugirió ir a casa de Steve para reconstruir las camas.

—Por fin es de día —dijo—. Podemos montar ahora las camas y así no tendremos que preocuparnos de que nos ataquen los monstruos.

Max tomó una manzana de un árbol mientras se dirigían a casa de Steve. Le dio un mordisco.

—Ha llegado un nuevo día —dijo—, espero que podamos encontrar a Henry.

Lucy vio algo a lo lejos.

—Vaya —dijo—, miren qué conejito tan bonito hay en la hierba. ¿Alguien tiene una zanahoria? Me gustaría domesticarlo para tenerlo de mascota.

—Si lo cazamos, podremos hacer estofado de conejo —dijo Max frotándose la panza.

—Y también podemos usarlo para hacer pociones de salto —añadió Adam.

Lucy se acercó al conejo.

—Son de lo peor. Es una ternura, me lo voy a quedar de mascota.

—¡No! —gritó entonces Steve—. ¡Es peligroso y te puede matar!

—¡Steve tiene razón! —dijo Max—. ¡Es el conejo asesino de Caerbannog!

El conejo blanco, que parecía tan dócil e inocente, era en realidad una criatura hostil y se acercó a Lucy. Por suerte, esta fue capaz de huir a tiempo.

Steve le disparó una flecha, pero el conejo era demasiado rápido para darle con ninguna arma y avanzó rápido hacia Lucy. Incapaz de matar a la feroz criatura, Steve construyó un pequeño muro de ladrillos en el camino del conejo, que terminó deteniendo su paso.

—¡Ayúdenme a construir una jaula! —le gritó Steve al grupo—. ¡Tenemos que atraparlo!

Max se escondió en una esquina para evitar al animal y construyó la jaula.

—¿Cómo vamos a meterlo en ella? —preguntó Adam desde lo alto del muro, lo bastante arriba para protegerse de un ataque.

—Tenemos que atraerlo con zanahorias —dijo Steve—. Distraigan al conejo y yo iré por ellas.

Lucy y Kyra saltaron a lo alto del muro. La primera disparó una flecha al conejo, pero este brincó para evitar el proyectil. Kyra disparó también. El conejo estaba demasiado ocupado esquivando las flechas para darse cuenta de que Steve había pasado a un lado y estaba agarrando un manojo de zanahorias.

—¡La jaula ya está lista! —gritó Max. La colocó al lado del muro y luego saltó a él para unirse a Adam, a Kyra y a Lucy en lo alto.

Steve fue tirando las zanahorias mientras corría hacia el muro para evitar un ataque mortal del despiadado conejo. Justo cuando el animal saltó hacia él, Steve lanzó rápidamente una zanahoria en la jaula y se subió al muro.

El conejo ya no tenía a nadie con quien luchar. Miró hacia arriba al grupo y luego hacia abajo, advirtiendo las zanahorias que yacían en la hierba cerca de la jaula. Le dio un bocado a una de ellas y pronto empezó a devorar feliz el resto de la verdura. Luego saltó hacia la siguiente que había cerca de la jaula y se la comió.

Steve estaba nervioso.

—Se está acercando a la jaula.

—Cuando entre, ¿quién cerrará la puerta? —preguntó Max.

—Yo lo haré —dijo Adam—. Cuando el conejo le dé su primer bocado a la zanahoria de dentro, saltaré y cerraré la puerta de golpe.

Observaron detenidamente al conejo esperando a que entrara en la jaula y se comiera la zanahoria. Primero, se terminó lentamente la que aún estaba masticando.

—Espero que no esté lleno —dijo Lucy.

El conejo dejó de masticar la zanahoria y brincó hacia la jaula. Sus orejas se estiraron de golpe al ver la que había dentro.

Con cuidado, pasó al interior y le dio un mordisco.

«¡Pam!» Adam saltó abajo y con una mano, atrapó al conejo en la jaula.

8
MÁS PISTAS

—¿Creen que el conejo descubrirá cómo romper la jaula? —preguntó Lucy—. Da miedo y es peligroso.

—No creo que pase nada —dijo Max—. Tenemos que encontrar a Henry. Cuando estaba haciendo la jaula, me vino una idea. Quizá podríamos hacer una trampa también para el griefer.

—¡Qué idea tan buena! —dijo Kyra.

—¿Qué clase de trampa? —preguntó Steve.

—Podemos crear algo muy valioso que el griefer quiera robar o destruir y esperar hasta que llegue. Entonces, una vez aparezca, lo atrapamos y buscamos a Henry.

—Una gran idea —dijo Steve—. ¿Y qué construimos?

—Estaba pensando en algo como una casa pequeña. Seguro que al griefer le dará curiosidad porque será nueva y puede haber objetos valiosos dentro —dijo Max.

—¡Estupendo! —exclamó Kyra—. Y luego me podré quedar a vivir en ella porque me he quedado sin casa.

—¿Dónde la construimos? —preguntó Steve.

—Creo que deberíamos levantarla entre tu casa y la de Kyra. ¿Les parece bien? —preguntó Max.

—Sí, empecemos ahora mismo —dijo Kyra.

Saltó del muro e inmediatamente se dirigió hacia el campo donde tenían pensado construir la casa.

—Tenemos que conseguir algo de madera —dijo Steve en cuanto llegaron al solar vacío donde iban a edificar.

—Yo tengo un montón —les dijo Kyra—. Pero no suficiente para hacer una casa.

—Las casas de madera son muy vulnerables —dijo Steve—. Las pueden destruir los creepers y arden muy deprisa.

—Bueno, pero tampoco tenemos por qué usar todos nuestros materiales para construir una casa con la que engañar al griefer —dijo Adam.

—Pero Kyra ha dicho que a lo mejor se queda a vivir aquí —dijo Steve.

—Kyra puede vivir conmigo hasta que se haga una casa de verdad —dijo Adam—. Ahora tenemos que centrarnos en el griefer. Yo debo encontrar a Thomas y ustedes tienen que encontrar a Henry, y todos debemos detener al griefer para que deje de destruir todo lo que hacemos. Me va a costar meses recuperar todas las pociones que tenía.

Max sacó una mesa de trabajo y empezó a trabajar en la madera para la casa.

—Kyra tiene razón, no tenemos suficiente madera.

Steve miró el árbol que había cerca de su parcela. Le encantaba mirar ese árbol desde su ventana, pero sabía que si lo talaban, tendrían suficiente madera para hacer la casa.

—Podemos cortar ese árbol —dijo, señalándolo.

Adam sacó un hacha y empezó a cortar el árbol. Mientras Max construía la casa con la madera, Lucy y Kyra creaban las ventanas y Steve hacía las camas.

—No tenemos por qué hacerla muy grande. Hagamos solo lo básico —les dijo Steve.

El grupo construyó la casa y cuando estuvo terminada, se quedaron satisfechos con su nueva estructura.

—¡No está mal! —dijo Max, mientras caminaba por la casa de madera—. Puede que me quede a dormir esta noche.

—Yo no dormiría aquí. Este lugar es muy vulnerable —advirtió Steve.

—Pues yo creo que todos deberíamos dormir aquí esta noche —dijo Adam—. Tenemos que quedarnos y esperar al griefer. Es la única forma de atraparlo.

El grupo había pasado tanto tiempo construyendo la casa que no se dieron cuenta de que casi era de noche.

—Supongo que no tenemos más opción —dijo Steve con voz temblorosa. Tenía miedo de dormir en una casa de madera—. Si nos ataca un creeper, la casa arderá hasta los cimientos.

—Si nos mantenemos unidos, podremos pasar la noche y puede que aparezca el griefer —dijo Lucy con optimismo.

—¿Y cuál es el plan si viene? —preguntó Steve.

Max sacó una gran jaula de detrás de la casa.

—Antes he construido esto. Lo atraparemos dentro, como hemos hecho con el conejo.

—¿Cómo vamos a meter a una persona en una jaula? ¡No podemos atraerlo con zanahorias, es más inteligente! —dijo Steve.

—Sacaremos nuestras espadas y le diremos que si no se rinde, lo atacaremos. —Max tenía el plan bien preparado.

—¿Crees que funcionará? —preguntó Lucy.

—Eso espero —respondió Max.

«¡Pum!» Se oyó un gran estruendo.

—¡¿Qué ha sido eso?! —gritó Max.

—¡Parece que viene de mi casa! —exclamó Steve.

—¿Vamos a mirar? —preguntó Lucy. Se acercaba la noche y sabían que había enemigos hostiles por el campo.

—Podemos equiparnos e ir a ver qué ha pasado —sugirió Kyra.

El grupo se equipó con sus armaduras y salieron de la pequeña casa de madera exponiéndose a los peligros de la noche.

—No veo creepers ni esqueletos —dijo Lucy mientras miraba en todas direcciones.

—¡Miren eso! ¡Antes no estaba aquí! —Kyra señaló a la cabaña de una bruja.

—¡Se acerca! —gritó Max.

Los ojos de color lavanda de la bruja se iluminaron en el cielo oscuro. Su sombrero negro casi se fundía con las tinieblas de la noche.

—¡Apártense! —gritó Adam—. ¡Tiene una poción arrojadiza!

Max sacó su arco y le disparó una flecha a la bruja, pero falló el tiro.

La bruja se acercó a ellos con una poción en la mano. Tomó un sorbo del brebaje y corrió hacia Max.

—¡Se ha tomado una poción de rapidez! ¡Corre, Max! —le gritó Adam.

Max huyó pero no pudo correr lo bastante rápido. La bruja le lanzó una poción de debilidad y ya no pudo correr más.

Steve le disparó una flecha y logró golpearlo. La bruja cayó al suelo.

Adam corrió hacia Max.

—Toma un poco de leche. Esto te ayudará a contrarrestar la poción de la bruja.

—Gracias —le dijo Max, apenas balbuceando las palabras por lo débil que estaba.

—¡Adam! —dijo Steve mientras señalaba algo a lo lejos—. ¡Mira!

Adam se levantó y miró en dirección a su casa. La habían hecho estallar en pedazos.

—¡No! —gritó con desesperación.

Con la salida del sol y la llegada de un nuevo día, el grupo pudo ver el costado de la casa hecho pedazos y la luz bañando la sala sin techo.

9
NO TE RINDAS

—¡**M**i casa! —exclamó Adam horrorizado.

—Todas mis cosas estaban también allí.

—Puede que el griefer la haya vaciado antes de hacerla saltar por los aires —dijo Steve.

—¡Eso no mejora las cosas! —lloró Adam.

—Cuando atrapemos al griefer, haremos que nos devuelva todas las cosas que nos ha robado y podrás recuperar tus pociones —dijo Steve con optimismo.

—Estás convencido de que lo atraparemos, ¿verdad? —preguntó Kyra.

—No tenemos más remedio. Tenemos que encontrar a ese malvado griefer —dijo Steve mientras volvían a la nueva vivienda—. Por suerte, tenemos esta casa nueva. Y estoy seguro de que después de haber atacado las casas de Adam y Kyra, la nueva será su próximo objetivo.

—¿Podemos echar un vistazo a mi casa? —preguntó Adam—. Quiero comprobar qué tan grave es el daño.

El grupo lo siguió en silencio hasta su morada. La puerta había saltado de las bisagras y la sala estaba carbonizado, pero el fondo de la casa estaba intacto.

—No está tan mal como pensaba —dijo Steve—. Todavía puedes usar los dormitorios. Solo tienes que reconstruir la sala.

—Si hemos podido construir la casa falsa en un día, seguro que también podemos arreglar esta —dijo Kyra.

Los demás estuvieron de acuerdo con ella, ayudarían a Adam a reconstruir su vivienda. Steve observó los restos de la sala quemada y entonces saltó lo que quedaba de la pared para contemplar la devastación que le rodeaba. En el suelo, cerca del sofá calcinado, había un pedazo de lana.

Steve lo recogió.

—¿Qué es esto? No dejo de ver lana por donde pasa el griefer.

—¿Crees que es un rastro? —preguntó Lucy mientras le quitaba la lana de las manos.

—Cuando el griefer destrozó mi granja de trigo, también me robó las ovejas —dijo Steve.

—¡Seguro que está usando la lana de tus ovejas! —dijo Kyra.

—¿Y qué hay de aquel laberinto de lana? —preguntó Adam.

—Tienes razón. Esto tiene que ser algún tipo de rastro, pero ¿qué significa?

El grupo estaba confundido. No sabían muy bien qué significaba la lana. Entonces, Steve dijo:

—Creo que es la tarjeta de visita del griefer.

—¿Qué quieres decir? —preguntó Lucy.

—Está usando la lana para confirmar que todos estos actos tan horribles los ha hecho el mismo griefer y que él es el responsable —explicó Steve.

—¿Por qué querría alguien hacer eso? —preguntó Lucy.

—Ya sabes cómo actúan los griefers —dijo Adam—. Son unos abusones y quieren que la gente sepa que pueden cometer esos crímenes tan peligrosos y complicados.

Kyra empezó a llorar.

—Ahora que todas nuestras cosas están dañadas y Henry y Thomas han desaparecido, me dan ganas de abandonar —dijo—. Parece que no estemos avanzando en absoluto.

—No podemos rendirnos —dijo Steve—. Vamos a resolver este misterio y a reconstruirlo todo.

Mientras el grupo volvía a la nueva casa, Adam los fue siguiendo un poco rezagado. Justo entonces, vio a alguien que le pasó corriendo.

—¡Thomas! —gritó.

El grupo se volvió para mirar, pero no vieron a nadie.

—¿Te has vuelto a imaginar que has visto a Thomas? —preguntó Steve.

—No, lo he visto pasar corriendo. Cuando he dicho su nombre, ha desaparecido. —Adam sonaba derrotado.

—¿Por qué haría eso Thomas? —preguntó Steve.

—No lo sé.

—¿Dónde lo has visto?

—Cerca de ese manzano —respondió Adam.

Steve fue hacia el árbol y comprobó si había algún rastro de Thomas. Alguien había comido muchas de sus manzanas. Se preguntó si Thomas sería el griefer y se había estado escondiendo en el árbol mientras comía la fruta para sobrevivir. Pero exceptuando el manzano casi vacío, allí no había nada más. Steve caminó despacio para ver si había un agujero en el suelo. Pensó que Thomas se podría estar escondiendo bajo tierra, pero la hierba estaba intacta.

El mar estaba a solo unos metros. Quizá Thomas había robado la poción de Adam para respirar bajo el agua y estaba viviendo bajo el mar mientras se alimentaba de peces. Había tantos pensamientos agolpándose en la cabeza de Steve que no sabía cómo encontrarles sentido. Solo quería que todo volviera a ser como antes. Quería recuperar su granja de trigo. Quería disfrutar de las mañanas tranquilas en la aldea. Sabía que sus amigos pensaban que él era el único que mantenía la esperanza y que terminarían encontrando al griefer, pero incluso él mismo empezaba a dudar que lograrían atraparlo.

Cada día parecía traer más destrozos y no había ninguna pista que les ayudara a descubrir quién era el griefer y dónde se escondía.

—¿Vas a volver a la casa? —le preguntó Adam.

—Queremos empezar a buscar semillas para reconstruir tu granja —dijo Lucy.

Steve intentó sonar animado, no quería que el grupo pensara que había perdido la esperanza.

—Enseguida voy —dijo.

Decidió echar un último vistazo por la zona donde Adam había visto a Thomas. Pasó el árbol, inspeccionó el terreno y encontró un pequeño pedazo de lana.

10
EL JINETE AVÍCOLA

Steve corrió hacia los demás.

—He encontrado otro pedazo de lana cerca del árbol —les dijo.

—¿Crees que lo de la lana y tus ovejas desaparecidas es una señal? —preguntó Max.

—Sí, tiene que serlo —dijo Steve.

—En cuanto encontremos al griefer, descubriremos a qué viene lo de la lana y encontraremos a Thomas —dijo Adam.

—Y a Henry —añadió Lucy.

—¿Y qué ocurre si descubrimos que Thomas es el griefer? —preguntó Steve.

—¡Thomas no es ningún griefer! —respondió Adam molesto.

—No lancemos conclusiones precipitadas —dijo Lucy intentando calmar la disputa—. No sabremos quién es el griefer hasta que lo encontremos.

—No podemos discutir por la identidad del griefer. Tenemos que reconstruir la casa de Adam y la granja de trigo —les recordó Kyra.

El grupo empezó a cortar la hierba en busca de semillas, pero era más difícil de lo que esperaban.

—¡Así no acabaremos nunca! —dijo Lucy. Todavía no había conseguido ni una semilla.

—Quizá deberíamos intentarlo con hierba que crezca más apartada de tu granja —sugirió Max.

El grupo encontró una lustrosa zona llena de hierba alta en las afueras de la aldea. Empezaron a buscar detenidamente.

—¡He encontrado semillas! —exclamó Kyra con alegría.

—Genial —dijo Steve.

—¡Yo también he encontrado! —Max tenía un buen puñado de semillas.

El grupo estaba emocionado por el descubrimiento, pero también empezaban a tener hambre. Steve sugirió que fueran a visitar a su amigo Oliver, el granjero.

—Tiene melones. Si le pagamos con esmeraldas, podemos comernos los melones y usar las semillas para plantarlas en la granja.

—¡Bien pensado! —dijo Kyra con entusiasmo, y pronto partieron hacia la granja de Oliver.

Allí había muchos melones maduros entre los que elegir.

—A mis amigos y a mí nos gustaría probar un poco de melón —dijo Steve mientras le entregaba las esmeraldas a Oliver.

—He oído lo que le ha pasado a tu granja de trigo. Cuánto lo lamento —dijo el granjero mientras le entregaba unos cortes de melón al grupo.

—¡Acabamos de encontrar semillas y vamos a ayudar a Steve a reconstruir la granja! —dijo Lucy.

—Estupendo. Tienes buenos amigos, Steve. Espero que terminen pronto.

El grupo descansó junto a un árbol cerca de la granja de Oliver y disfrutaron de los jugosos melones, guardando las semillas para plantarlas cerca de la granja de trigo. Cuando terminaron, volvieron a la granja y empezaron a cavar hondo para plantarlas.

Lucy señaló un pequeño trozo de tierra cerca de un árbol.

—¿Plantamos ahí las semillas de melón?

—Sí —respondió Steve—, y en cuanto crezcan, los contemplaré pensando en lo buenos que son mis amigos y lo mucho que me han ayudado.

—Tenemos que ayudarnos unos a otros —dijo Adam—. Creo que tenemos suerte de conocernos.

Todos asintieron mientras entraban en el agujero que había creado la dinamita y siguieron cavando en el suelo para enterrar las semillas. Pero entonces, empezó a caer la noche.

—Tenemos que dejarlo por hoy, es demasiado peligroso seguir ahora que está oscureciendo —les dijo Adam.

Rufus ladró y asustó al grupo.

—¡No me gusta cómo suena eso! —dijo Steve—. ¡Parece que Rufus está en problemas!

Steve salió del agujero y todos lo siguieron.

—¿Qué pasa, Rufus? ¿Estás bien? —preguntó Steve, pero antes de que pudiera comprobar cómo estaba el perro, oyó un grito.

—¡Socorro!

¡Era Lucy!

Un jinete avícola se había plantado a solo unos pasos de ella. El bebé zombi montado en una gallina empuñaba una espada mientras avanzaba hacia su amiga.

—¡No llevo espada! —explicó.

Max tomó su espada de diamante y cargó contra la

51

gallina. Esta saltó hacia atrás y le hizo fallar el golpe. Steve disparó una flecha pero el bebé zombi la paró con la espada.

Lucy intentó huir, pero el jinete avícola era como su sombra: no podría correr lo bastante rápido como para escapar del monstruo de cabeza verde. Max saltó y se colocó al lado de la bestia, tirando al zombi de su montura con un fuerte golpe de espada.

El jinete cayó al suelo.

—¡Lo he derrotado! —exclamó Max, pero antes de que pudiera celebrar la victoria, apareció otro jinete avícola que acorraló a Adam.

Su espada de oro no era rival para el zombi de ojos negros. Tiró a Adam al suelo y su espada cayó a su lado.

Steve tomó la espada de Adam y golpeó al zombi.

—¡Te tengo! —Steve estaba entusiasmado.

—Creo que deberíamos entrar en casa antes de que aparezcan más monstruos. Se está haciendo de noche y estamos cansados —dijo Lucy, y todos corrieron hacia su nueva casa.

En cuanto se acostaron en las camas, Lucy les preguntó:

—¿Creen que encontraremos a Henry?

—Eso espero —respondió Max.

—¿Esperas? —dijo Steve enfadado—. Pues claro que lo encontraremos. TENEMOS que encontrarlo.

Cuando despertaron, Steve se levantó de un salto y cayó en otro agujero. Se sacudió el polvo de encima, miró hacia arriba y vio a sus amigos a su lado.

—¡Otro agujero! —dijo Max.

—Parece que el griefer lo ha cavado mientras dormíamos —dijo Steve mientras observaba el estrecho camino.

—No veo ninguna puerta —dijo Max.

—¡Creo que estamos atrapados! —gritó Lucy.

Steve miró hacia arriba. Alguien había colocado una gran roca sobre la entrada de su casa.

—¿Cómo vamos a salir? —preguntó Adam, cuando una araña se colocó de pronto tras él.

—¡Adam, cuidado! —dijo Lucy.

Kyra lanzó a la araña contra la pared con su espada y la bestia cayó al suelo.

—Esto es una trampa mortal. ¡Tenemos que encontrar una salida! —dijo Adam.

—¡Shhh! —Steve se llevó un dedo a los labios.

—¿Cómo quieres que callemos en un momento como este? —preguntó Kyra.

—¿Oyen eso?

Todos prestaron atención y oyeron un sonido ahogado que provenía del otro lado del muro. Al poner la oreja en la pared de tierra, el sonido se volvió más fuerte.

—Parece alguien pidiendo ayuda —dijo Steve.

—¡Creo que es Henry! —dijo Lucy.

11
SLIMES, LEPISMAS Y AMIGOS AL RESCATE

—¡**H**enry! —gritó Lucy.

—¡Vamos a salvarte! —dijo Max.

Steve sacó su pico y golpeó la pared del túnel; la tierra empezó a derrumbarse y un gran montón de grava cayó de lo alto sobre el grupo.

—¡Para, Steve! —gritó Adam.

—Así no vamos a ninguna parte —dijo Max mientras la grava caía cada vez más rápido, dando la impresión de que iban a quedar enterrados por el derrumbamiento.

Lucy se cubrió la cabeza para evitar las piedras que caían sobre ellos.

—Pero tenemos que encontrar a Henry —dijo.

—Encontraremos otro camino —dijo Steve.

Los gritos de Henry se volvieron cada vez más altos y el grupo comprendió que estaba al otro lado de la pared.

—¿Henry? —llamó Lucy.

—¡Socorro! —Su voz resonó por la pared.

—¿Puedes oírnos? —preguntó Lucy.

Henry no respondió, solo siguió repitiendo «Socorro».

—Al menos nos estamos acercando —dijo Lucy—. Aunque no sepa que estamos intentando ayudarle.

—¡Oh, no! —exclamó Steve. Al clavar el pico, se dio cuenta de que no solo había estado rompiendo la pared de piedra en aquel túnel del terror, sino que también había abierto un huevo y las lepismas empezaban a salir lentamente del cubo.

—¡Cuidado! —gritó Adam mientras una de las lepismas se arrastraba hacia su pie.

—Salta a ese montón de tierra —le dijo Steve—. No te puede alcanzar a esa altura.

Adam sacó una poción arrojadiza para matar a la lepisma.

—¡Espera! —gritó Max—. Las pociones atraerán a las demás lepismas, es mejor tirarles grava.

Adam agarró un buen montón de grava y se lo lanzó a la lepisma de ojos negros, acabando de inmediato con el maligno insecto.

—¡Quedan dos más! —dijo Lucy observando a los pececillos de plata que se acercaban a ellos—. ¡Tenemos que matarlas sin despertar a las que quedan en el huevo!

Max sacó su espada de diamante y atacó a una de las lepismas; con un fuerte golpe, la lepisma fue derrotada. Lucy acabó con la otra con su arma.

—¡Bien hecho! —dijo Steve, un poco triste por no haber ayudado. Sin su espada de diamante, no podía luchar contra muchos de los enemigos que se podían encontrar. Quería recuperar su espada, y cuanto antes rescataran a Henry, antes encontrarían al griefer y llegarían al fondo de todo ese desastre. Pero con un huevo de monstruo ante ellos que podría desatar una plaga de lepismas en cualquier momento, tenían que moverse con cuidado.

—Me da miedo moverme —dijo Max mientras intentaba pasar por donde estaba el huevo.

—Tenemos que seguir cruzando el túnel —dijo Steve.

El grupo pasó de puntillas la zona del huevo y mantuvieron la respiración mientras se adentraban en silencio en el oscuro túnel.

—Necesitamos una antorcha —dijo Lucy.

Ninguno de ellos llevaba una y todos sabían que esto los hacía extremadamente vulnerables.

—Tengo miedo —dijo Kyra cuando se oscurecía el paisaje: la posibilidad de que los atacara una criatura de la noche se volvía más real por momentos.

—No veo más allá de mis narices —dijo Steve.

—¡Pues yo oigo algo! —avisó Max aterrorizado.

—¿Henry? —preguntó Lucy.

—¡No! ¡Escucha!

«¡Click! ¡Clock!» El sonido de una criatura brincando por la zona resonaba por las paredes del túnel.

—¡Eso parece un slime! —gritó Adam.

En cuanto se adentraron un poco más en el túnel, el sonido se volvió más fuerte.

—¡Saquen las espadas! —dijo Steve—. ¡Tenemos que luchar contra los slimes!

—No veo si hay slimes ni cuántos son —dijo Max mientras escrutaba la oscuridad; pero sin una antorcha, le pareció una tontería—. ¿Cómo vamos a luchar si ni siquiera podemos verlos?

—¡Pues escuchen! —dijo Steve—. Usen el oído. Cuando los oigamos más alto, tendremos que cargar contra ellos con nuestras espadas. ¡Es nuestra única esperanza! —Steve apretó la empuñadura de su espada de piedra con las dos manos.

«¡Click! ¡Clock!» El sonido del cuerpo gelatinoso de las criaturas brincando en el suelo de tierra se volvía cada vez más fuerte.

—Parece que hay dos slimes. Si hubiera más, los oiríamos más fuerte —dijo Max mientras avanzaban despacio hacia la fuente del sonido.

—¡Creo que veo luz! —advirtió Lucy.

—Eso no es luz... —dijo Kyra—, ¡es el reflejo del slime verde!

—¡Ya están aquí! —gritó Max, y entonces golpeó a uno de los slimes cúbicos con su espada y la gelatina los salpicó a todos.

—¡Guarden las bolas de recompensa! —dijo Steve—. ¡Son muy útiles!

Adam le clavó la espada al otro cubo verde mientras saltaba hacia él.

—¡Menos mal, estamos a salvo! —exclamó Lucy.

—¡Ay! —gritó Kyra por el dolor.

—¿Qué ocurre? —preguntó Lucy.

—¡Me ha picado una araña! —respondió Kyra con voz débil.

Adam le dio leche para combatir el veneno y Kyra se la bebió.

—¿Dónde está la araña? —preguntó ella.

Antes de que pudiera responder, Adam también recibió una picadura. No tardó en beber también la leche.

Entonces, Kyra vio la araña avanzando hacia Steve.

—¡Steve, cerca de tu pie!

Steve le lanzó la pala al arácnido, acabando con él.

—No podemos seguir adentrándonos en este túnel, no nos está llevando a ninguna parte —dijo Steve.

—Y nos estamos quedando sin recursos —añadió Lucy—. Tenemos que cavar para conseguir más minerales que intercambiar a los aldeanos. Tenemos que prepararnos para luchar cuando rescatemos a Henry.

—Pero ¿cómo vamos a salir de aquí? —preguntó Kyra mientras descansaba en una esquina y bebía leche poco a poco.

—Tendremos que salir excavando —respondió Steve.

—¡Sí, mira lo que ha pasado la última vez! —protestó Lucy.

Pero antes de que pudieran discutir sobre cuál era la mejor forma de escapar, Max los llamó a todos.

—¡He encontrado una puerta!

12
ESPIANDO
A THOMAS

—¡**Á**brela! —lo animó Kyra cuando recuperó las fuerzas y pudo levantarse.

El grupo se apiñó detrás de Max mientras este abría la puerta. Ya con un pie dentro, dijo:

—Esto me resulta bastante familiar.

Todos entraron en casa de Adam.

—Diría que esto ya lo hemos hecho antes —bromeó Steve.

—Quienquiera que esté haciendo los túneles, nos está haciendo ir en círculos. Quiere que nos rindamos —dijo Max.

Steve echó un ojo por la casa.

—Al menos no parece que el griefer haya dañado más la casa desde que nos fuimos.

Adam suspiró con alivio.

—Lo sé, pero todavía no hemos encontrado a Thomas ni a Henry.

Steve inspeccionó la vivienda en busca de agujeros en el suelo.

—Puede que haya otros túneles que nos lleven hasta Henry.

—Me da igual si encuentras el agujero más grande del mundo —dijo Kyra con voz cansada—. No pienso saltar dentro.

Según se oscurecía el cielo, el grupo fue volviendo a la nueva casa, pero ya no estaba allí.

El griefer había usado dinamita para volar la casa y ya no quedaba nada excepto un gran agujero en el suelo donde una vez había estado.

—¿Y ahora dónde vamos a dormir? —exclamó Kyra.

—Sabía que el griefer iría a nuestra casa —dijo Steve medio absorto mientras intentaba pensar en un plan. Pero antes de que pudiera idear algo, oyeron unos gruñidos a lo lejos.

—¡Zombis! —gritó Steve.

El grupo preparó sus armas mientras unos cuantos zombis de cabeza verde se arrastraban hacia ellos.

Max luchó contra dos de ellos con su espada de diamante. Lucy corrió hacia un pequeño grupo de zombis y peleó con ellos con la ayuda de Kyra. La lucha se fue volviendo más intensa a medida que los zombis se empezaban a resistir con todas sus fuerzas.

—¡Toma esto! —gritó Adam mientras rociaba a uno de los zombis con una poción de curación.

—¿Eso es una poción curativa? —preguntó Lucy.

—Sí, a los zombis les provoca daños —explicó Adam mientras el zombi empezaba a debilitarse y Lucy lo golpeaba con su espada.

—¡Este ejército de zombis no se acaba nunca! —gritó Max mientras luchaba contra dos zombis con su poderosa espada encantada.

El grupo se defendió de los últimos zombis y luego se dirigió a casa de Adam. Iban a intentar dormir un poco, aunque la casa abierta los hacía un blanco fácil. Pero no tenían otra opción: sus niveles de energía estaban muy bajos y tenían que comer y descansar.

Cuando llegó la mañana, les sorprendió que hubieran podido pasar la noche sin tener que enfrentarse a ningún enemigo.

—Necesitamos comida —dijo Kyra.

—Saldré a cazar —se ofreció Lucy.

—Yo iré por unas manzanas —dijo Steve, y se unió a ella de camino al campo para ir por el desayuno.

Mientras Lucy buscaba gallinas, Steve paseaba cerca de ella. Justo entonces, vio a alguien que los pasó corriendo.

—Lucy, ¿has visto eso?

—¡Sí! ¡Era Thomas llevando dinamita!

—Yo he visto lo mismo —dijo Steve.

Le preocupaba cómo podría reaccionar Adam. Sabía que se quedaría destrozado al descubrir que su mejor amigo era el dichoso griefer.

Thomas siguió corriendo.

—¿Crees que nos ha visto? —preguntó Lucy.

—No estoy seguro, pero parece que está amontonando dinamita detrás del árbol que hay cerca del agua —dijo Steve.

—Tenemos que seguirlo —dijo Lucy mientras se dirigía al árbol.

—No podemos dejar que descubra que lo estamos siguiendo. Podría intentar atacarnos.

—Llevo el arco conmigo, no le tengo miedo —dijo Lucy, agarrando el arma con firmeza.

—Si lo herimos, jamás encontraremos a Henry —dijo Steve mientras se iban acercando al árbol.

Lucy estaba enfadada.

—¡Nos ha causado un montón de problemas y quiero saber por qué!

«¡Shhh!», dijo Steve al llegar a su objetivo. Thomas no estaba allí, pero había un montón de dinamita. Steve recogió algunos bloques.

—Pero ¿qué haces?

—Tengo que llevar esto como prueba o Adam no nos creerá —respondió Steve. Luego, agarró algunos bloques más.

Lucy se acercó y tomó también algunos bloques de dinamita.

—Así evitaremos que los use. ¿Cómo puede destrozar las casas de personas inocentes?

—Y secuestrar a nuestro amigo —añadió Steve mientras recogía el último bloque de dinamita.

—Se va a enfadar mucho cuando descubra que los explosivos han desaparecido —dijo Lucy.

—Exacto, eso forma parte de mi plan. Cuando se dé cuenta de que ya no están, seguro que empieza a buscarlos. Entonces lo atraparemos y encontraremos a Henry. Y yo podré recuperar mi espada de diamante.

—¡Es un plan genial! —Lucy estaba impresionada.

—Bueno, aún no sé cómo vamos a atraparlo, así que de momento solo tengo pensada la mitad del plan —admitió Steve.

—Ya es un comienzo —dijo Lucy mientras volvían con los demás.

El grupo estaba fuera comiendo zanahorias.

—¿Dónde estaban? —preguntó Max.

—¿Y las gallinas? —preguntó Kyra.

—¿Y qué hay de las manzanas? —añadió Adam.

Por último, Kyra preguntó:

—¿Qué es eso que llevan?

—¿No es dinamita? —Adam se quedó pasmado.

—Sí —dijo Lucy mientras dejaba la dinamita en la sala al descubierto.

—Adam —dijo Steve nervioso, intentando encontrar las palabras adecuadas—. Hemos encontrado a Thomas y estaba escondiendo esto detrás de un árbol.

—¡No! —gritó Adam—. No puede ser, seguramente lo confundieron.

Lucy se sentó junto a él e intentó consolarlo.

—Sé que es tu amigo, pero está claro que es el griefer.

—¿Por qué haría algo así? —preguntó Adam, pero nadie supo responderle. No entendían qué podría haber transformado a Thomas, el explorador, en un griefer.

—¿Qué vamos a hacer con toda esta dinamita? —dijo Kyra mientras miraba el montón de explosivos.

—Vamos a tenderle una trampa —respondió Steve.

—¿Cómo? —preguntó Kyra.

Todos se sorprendieron cuando fue Adam el que realizó el anuncio:

—¡Tengo un plan!

13
EL PLAN

Adam agarró la dinamita y la escondió en su habitación.

—No se lo vamos a poner fácil a Thomas, tendrá que buscarla bien.

—¿Crees que sabe que nos hemos llevado la dinamita? —preguntó Steve.

—Sí, ¿quién si no? —Adam abrió el cofre donde guardaba las pociones—. Ya es hora de que use la verruga infernal. Tengo que preparar unas pociones.

Mientras Adam se sentaba en su soporte para brebajes y se dedicaba a crear un montón de pociones, los demás empezaron a reconstruir el costado de la sala de su casa.

Adam fue a la sala y les dijo que cavaran un hoyo justo enfrente de la puerta.

—Cuando venga Thomas, caerá directo en el hoyo.

—¡Le quieres dar a probar de su propia medicina! —dijo Max mientras él y Steve colocaban la puerta en la entrada de la casa.

—Buen plan, Adam —dijo Steve—. Es una buena forma de atraparlo.

—Cuando esté en el agujero, podré usar mis pociones —dijo Adam.

—Pero no olvides que tenemos que encontrar a Henry —recordó Lucy.

—Sí, Thomas nos llevará hasta él —dijo Adam.

«¡Pum!» Algo explotó en la habitación de Adam.

—¿Qué ha sido eso? —exclamó Steve.

Adam corrió hacia su habitación. El soporte para brebajes estaba volcado y todas sus pociones se habían desparramado por el suelo.

—¡Thomas está aquí! —gritó Adam.

Buscaron la dinamita y descubrieron que seguía amontonada en la esquina.

—Al menos no se ha llevado la dinamita —dijo Steve.

Kyra miró alrededor.

—¿Adónde habrá ido?

Adam salió por una ventana abierta.

—Creo que se ha largado por aquí.

—Volverá —dijo Max.

—Lo sé, y será mejor que estemos preparados —dijo Adam mientras recogía las pociones derramadas—. Ya no me quedan muchas verrugas infernales.

—¿Te queda suficiente para hacer una poción que pueda detener a Thomas? —preguntó Kyra—. No quiero tener que volver al Inframundo. Ya he tenido suficientes ghasts y hombrecerdos zombis y no quiero encontrarme con más cubos de magma. Solo quiero atrapar a Thomas y reconstruir mi casa.

Adam rebuscó en su cofre.

—Creo que tengo suficientes pociones, pero tenemos que actuar deprisa.

—¡Oh, no! —gritó Steve desde la sala. Kyra y Adam corrieron para ver qué ocurría.

Steve había caído en otro agujero.

—¿Puedes subir? —preguntó Lucy.

—Sí, pero mejor me quedo. Puedo oír a Henry. Voy a salvarlo.

—Enseguida bajamos para ayudarte —dijo Max.

—¡No! Quédense en casa. Esto tiene que ser una trampa, quiere que dejemos la dinamita. Puedo ocuparme solo.

Steve cruzó el túnel hacia el lugar de donde provenía la voz de Henry.

—¡Socorro! —gritaba este.

—Henry, ¿puedes oírme? Soy Steve. —Esperaba que pudiera oír su voz, aunque no estaba convencido.

—¿Steve? —respondió Henry.

—¡Sí, soy yo! ¡Me alegra que puedas oírme!

—Estoy atrapado.

—¿Cómo puedo llegar hasta ti? —preguntó Steve mientras golpeaba la pared con su pico e intentaba romperla para llegar hasta su amigo. La tierra iba cayendo al suelo según picaba. Pero a pesar de toda la tierra que yacía ya a sus pies, no conseguía alcanzar a Henry. Steve notó algo duro tras la capa de tierra. ¡Era piedra base!

—¡Piedra base! —gritó Steve con ira.

—¡Lo sé! —dijo Henry desde el otro lado de la pared—. Estoy atrapado en una habitación de piedra base.

—¿Sabes cómo has terminado ahí?

—Estaba oscuro, pero alguien me empujó a esta habitación cuando pisaste aquel cable. —Henry hablaba con voz débil.

—¿Qué has estado comiendo? —preguntó Steve.

—Alguien me lanza manzanas a través de un agujero en la pared.

—Menos mal que tienes comida.

—Pero estoy atrapado.

—Voy a sacarte, te lo prometo.

—¿Cómo? —preguntó Henry.

Steve no sabía cómo responder.

Entonces Henry dijo:

—Un cubo de destrucción.

—¿Un cubo de destrucción? —Steve nunca había intentado crear un cubo de destrucción y no estaba seguro de qué hacer. Se trataba de un poderoso cubo que podía destruir cualquier cosa. Steve se preguntó si también podía destruirlos a ambos.

—El cubo de destrucción es la única forma de romper estas paredes de piedra base —le dijo Henry.

—¿Y si cavamos encima de ti? ¿Cómo de altas son las paredes? —preguntó Steve.

—¡Viene alguien! —avisó Henry.

Steve se quedó en silencio y escuchó atento, pero no oyó nada.

—Henry, ¿estás ahí?

—Sí, me acaban de dejar las manzanas —respondió.

—Debe de estar al otro lado de la pared. —Steve miró alrededor pero no vio a nadie.

—Sí —dijo Henry—. El agujero está en el otro lado.

—Si hay un agujero en la pared, seguro que no está hecha de piedra base —dijo Steve.

—¡Es verdad! —dijo Henry—. Acabo de inspeccionar la pared y parece que hay un pequeño hueco hecho de tierra.

—Si hago un agujero más grande en esa zona de tierra, ¿crees que cabrás por él? —preguntó Steve esperanzado.

—Creo que sí —dijo Henry.

—Solo tengo que averiguar cómo llegar al otro lado de la pared. Seguro que hay un túnel que lleva hasta allí —dijo Steve.

—Sí, seguro que sí. Ese es el camino que usa el griefer para traerme las manzanas.

—No quiero dejarte —dijo Steve—, pero tengo que irme. Tengo que llegar al otro túnel. Creo que sé cómo acceder a él. El griefer ha cavado toda una serie de túneles por debajo del pueblo. —Steve contempló el largo conducto y se preguntó si habría una forma de llegar al otro lado de la habitación de piedra base a través de aquellos caminos. Colocó una antorcha en la pared y empezó a caminar, pero le pareció que iba en línea recta y volvió hacia la casa de Adam.

—¡Por favor, vuelve pronto! —le gritó Henry.

—Te lo prometo.

En cuanto esas palabras salieron de su boca, Steve deseó no tener que faltar a su promesa.

14
EL OTRO LADO

Steve suspiró con alivio al salir del agujero y vio que los bloques de dinamita seguían apilados de forma ordenada en la esquina. Caminó por la casa buscando a los demás.

—¿Chicos? —llamó al ver la casa vacía—. ¿Dónde están?

Steve miró el cofre de pociones de Adam. Estaba vacío. Empezó a ponerse nervioso. ¿Y si el griefer les había hecho algo a sus amigos? Steve salió corriendo de la casa y se dirigió a la granja de trigo. Esperaba que sus amigos estuvieran trabajando la tierra durante las horas de sol.

—¿Max? —llamó—. ¿Lucy?

Solo hubo silencio. Steve empezó a ponerse nervioso. ¿Cómo podía salvar a Henry él solo? ¿Tendría que buscar también a sus demás amigos? Corrió hacia la aldea y fue a la tienda de Eliot, el herrero, esperando que su viejo amigo supiera algo sobre sus amigos desaparecidos. Quizá hubieran ido a verlo para conseguir nuevas espadas.

Los aldeanos paseaban por el pueblo. Las calles estaban muy animadas. Steve abrió la puerta de la tienda de Eliot.

—Hola Steve, ¿tienes algo que quieras cambiar? —preguntó Eliot.

—En realidad he venido porque no encuentro a mis amigos. ¿Has visto a Max, a Lucy, a Kyra y a Adam?

—No, pero en el pueblo circulan algunos rumores sobre ti.

—¿Cómo? ¿Qué tipo de rumores?

—Alguien me ha dicho que eres un griefer. —Eliot soltó las palabras lentamente, como si se arrepintiera de decirlas.

—¿Yo? —Steve no se lo podía creer.

Eliot asintió.

—Pero si yo fuera el griefer, ¿por qué destrozaría mi propia granja de trigo? Eso no tiene ningún sentido.

—Yo dije lo mismo, pero algunos están empezando a decir que lo hiciste para engañarnos a todos —dijo Eliot.

—Solo hay una forma de arreglar esto. Tengo que encontrar al griefer para demostrar que soy inocente. Y también tengo que encontrar a mis amigos.

Steve abandonó la tienda y mientras caminaba por la aldea, pudo escuchar a la gente hablando sobre él. Todos pensaban que era el griefer. Tenía que encontrar a Thomas. Tenía que encontrar a sus amigos. Tenía que salvar a Henry. ¡Y también recuperar su espada de diamante!

Steve corrió hacia la granja. Rufus ladró y Achuchones maulló; estaban contentos de que hubiera vuelto. «Al menos ellos no creen que yo sea el griefer», pensó mientras buscaba a sus amigos entre los restos de su casa quemada. Entonces, Steve se acordó de la dinamita. No quería dejar los bloques en casa de Adam, el griefer podría robarlos.

Volvió a casa de su amigo Adam. La puerta de la casa estaba abierta. Steve entró lentamente, pero gritó «¡Ugh!» al caer en un agujero.

—¡Lo tenemos! —oyó decir a Lucy con alegría—. ¡Hemos atrapado al griefer!

Lucy, Max, Adam y Kyra se acercaron al agujero y miraron abajo.

Kyra vio a Steve.

—¡No es Thomas!

—¡Steve! —dijo Lucy—. ¿Dónde está Henry?

Steve salió del túnel.

—Lo he encontrado, pero está en una habitación de piedra base y no he podido romperla.

—Tenemos que salvarlo —dijo Max.

—Lo sé —dijo Steve—. ¿Dónde estaban?

Estábamos aquí. Intentamos llamarte, pero saliste de casa tan rápido que no nos oíste —dijo Lucy.

—¿Han visto a Thomas? —preguntó Steve.

—No, pero alguien está diciendo por ahí que eres el griefer —dijo Kyra.

—Lo sé, he ido a la aldea y Eliot me ha dicho que todos piensan que soy el griefer.

—Intentamos decirles que eras inocente, pero quieren tener a alguien a quien echarle la culpa —dijo Kyra.

—Tenemos que encontrar a Thomas —dijo Adam.

—Vamos a tener que dividirnos —dijo Steve—. No podemos dejar aquí la dinamita. ¿Quién quiere ayudarme a salvar a Henry?

Max se ofreció como voluntario de inmediato.

Steve y Max partieron hacia el túnel equipados con armaduras y llevando espadas. Debido al peso de la armadura, el camino pareció más largo de lo normal.

—Tenemos que ir despacio, es casi de noche —dijo Steve.

—Lo sé, tenemos que estar atentos a los enemigos —advirtió Max.

En cuanto empezó a atardecer, Max gritó:
—¡Esqueletos!
Steve vio a cuatro esqueletos a lo lejos.
Uno de los esqueletos le disparó una flecha a Steve y a Max, pero se agacharon y cayó al suelo.
Steve sacó su espada y cargó hacia dos esqueletos, esquivando con dificultad el ataque de una de las hostiles criaturas grises y huesudas, mientras él lograba golpear con su espada a la segunda de ellas.
Los huesos repiqueteaban con cada impacto. Max y Steve estaban en desventaja numérica y tuvieron que usar toda su pericia como guerreros para sobrevivir a la batalla.
La espada de diamante de Max era muy poderosa y acabó con un esqueleto de un solo golpe, pero Steve sufrió mientras luchaba con su espada de oro. Los golpes no eran tan fuertes y el combate se estaba haciendo agotador. Tenía que ahorrar energías para salvar a Henry.
Cuando un esqueleto le disparó una flecha a Steve, Max la golpeó con su espada de diamante, salvando a su amigo. Luego atacó al último de los monstruos y acabó con él. Les dejaron unas flechas como recompensa.
—Me has salvado —le dijo Steve.
—Para eso están los amigos. ¡Y ahora, vamos a salvar a Henry! —dijo Max mientras seguían avanzando hacia el túnel.
Durante el camino se mantuvieron alerta ante la aparición de criaturas hostiles que surgieran de noche. Steve se sintió más seguro con cada paso que daban hacia el túnel. En cuanto se hallaran bajo tierra, estarían más cer-

ca de salvar a Henry y de encontrar a Thomas. Además de querer salvar a su amigo, también quería demostrar su inocencia.

Steve y Max entraron en la casa quemada y estaban listos para entrar al túnel, pero al buscar la entrada, no encontraron ningún agujero en el suelo: el túnel ya no estaba allí.

15
LA PARED

—¡¿Dónde está la entrada?! —preguntó Max mientras miraba al suelo.

—Thomas la habrá llenado con tierra —dijo Steve sacando el pico y empezando a golpear en la zona.

—¿Qué hacemos?

Steve fue picando el suelo.

—Vamos a tener que cavar, hay que encontrar el túnel.

Max y Steve cavaron hondo pero no lograron encontrar la entrada.

—¿Crees que deberíamos usar dinamita? —preguntó Max mientras cavaban.

—Creo que lo encontraremos. Solo tenemos que picar un poco más hondo. —Entonces, se paró en seco—. ¿Oyes eso?

Se oyó el sonido de una mecha ardiendo.

—¡Un creeper! —gritó Max al tiempo que los dos salían corriendo de la casa.

El creeper estalló dentro de la vivienda mientras Max y Steve observaban la escena a lo lejos.

—¡Uf, ha estado cerca! —dijo Max.

—¡Lo sé! —asintió Steve mientras volvían para buscar la entrada.

74

—Mira —dijo Steve al llegar al agujero que habían estado cavando.

Max miró abajo. La explosión del creeper había dejado al descubierto un pedazo de tierra que conducía a la entrada del pasaje.

—¡Vamos a encontrar a Henry! —dijo Steve al saltar juntos al túnel.

—¡Henry! —La voz de Max resonó por el conducto.

—¡Max! —Henry sonaba esperanzado y emocionado.

—¡Venimos a salvarte! —dijo Steve—. Sigue hablando para que podamos encontrarte.

Henry habló nervioso.

—Estoy aquí, al lado del agujero en la pared. Puedo oírlos, están muy cerca.

Steve se detuvo, vio un agujero en la pared.

—¡Te he encontrado!

Max y Steve empezaron a golpear la pared intentando romperla. La tierra se fue apilando y pronto pudieron ver la cara de Henry.

—¡Chicos! —Henry se asomó desde su lado—. Creo que el agujero es lo bastante amplio para que pueda salir.

Los dos trabajaron duro para romper la pared. Ya casi habían terminado cuando oyeron a alguien en el túnel.

—¿Qué ha sido eso? —preguntó Max dejando de picar.

—Creo que es el griefer —dijo Henry—. Suele traerme manzanas, seguro que ha venido a traerme la comida.

Steve observó la pared.

—Henry, intenta pasar por el agujero. Si te encoges, lo conseguirás.

Henry contuvo la respiración mientras intentaba escabullirse por el angosto agujero en la pared.

—¡Creo que puedo pasar!

Los pasos del griefer se oían cada vez más alto. Steve intentó pensar en un plan para su inminente enfrentamiento contra Thomas.

Henry cayó del agujero y aterrizó frente a sus amigos. Fue una reunión breve pero dichosa. En unos segundos se enfrentarían al griefer.

Henry, Max y Steve esperaron en silencio junto al agujero, intentando esconderse de Thomas.

Cuando este se acercó, Steve y los demás saltaron frente a él.

—¿Sorprendido de vernos? —preguntó Steve.

Thomas salió corriendo y todos lo persiguieron. El grupo le pisaba los talones, pero de pronto, desapareció por completo.

—¡Se ha esfumado! —gritó Steve.

—¿Cómo ha podido ocurrir? —preguntó Max.

—Thomas ha creado estos túneles —dijo Henry—. Los conoce como la palma de su mano. Tenemos que salir de aquí enseguida. Estoy seguro de que ha puesto trampas por todas partes. Aquí no estamos seguros.

Corrieron hacia la salida, y al llegar al final del pasadizo, descubrieron que el agujero había desaparecido.

—¿Cómo vamos a salir ahora? —preguntó Henry.

Steve vio una puerta al final del túnel.

—Creó que deberíamos abrir esa puerta.

—No, podría ser otra trampa. No quiero volver a quedarme en otra habitación de piedra —dijo Henry.

—No tenemos alternativa. Tenemos que abrir esa puerta o nos quedaremos aquí atrapados —dijo Max.

Contuvieron la respiración, temerosos de lo que podrían encontrarse al otro lado de la puerta.

Max puso la mano en la puerta y la abrió lentamente.

Oyeron voces. Estaban bajo tierra y tenían que salir para ver quiénes eran.

Las voces se fueron volviendo más fuertes. Cuando por fin llegaron al final del túnel, se sorprendieron al ver dónde estaban. Habían aparecido detrás del montón de dinamita en casa de Adam.

Steve salió de detrás del montón y se dirigió a la sala para llamar a sus amigos.

—¡Steve! —gritó Lucy.

Max y Henry entraron en la sala y los demás exclamaron de alegría. Por fin se reunían con su amigo.

Steve cesó la celebración al preguntar:

—¿Sabían que el griefer ha hecho un túnel detrás de la dinamita?

—No. —Adam se sorprendió mucho y fue a la habitación.

Los demás lo siguieron. Una vez delante de la dinamita, inspeccionaron con cuidado el gran agujero que el griefer había cavado.

—¿Cuándo habrá hecho esto? —preguntó Max.

—No hemos dejado la casa. Puede que lo hiciera mientras estábamos durmiendo —dijo Adam.

—Es muy escurridizo —dijo Kyra—. Yo no lo he oído mientras dormíamos.

—Vaya que es escurridizo. Mira todo el daño que nos ha hecho —dijo Lucy.

Adam miró la dinamita y empezó a contar los bloques.

—¿Qué ocurre, Adam? —preguntó Steve.

—Creo que falta algo de dinamita.

Lucy observó el montón.

—Tienes razón, faltan algunos bloques.

—¿Qué hará con ellos? —preguntó Kyra.

«¡Bum!» Se oyó el sonido de una explosión a lo lejos. El grupo empezó a correr para ver qué había destruido el griefer esta vez.

16
EL GRIEFER

—¡**N**o! —Steve contempló su granja destrozada. Thomas había vuelto a hacerla estallar.

—Después de todo lo que nos esforzamos para conseguir las semillas —dijo Kyra.

—Al menos ahora la gente no pensará que soy el griefer —dijo Steve—. ¿Para qué iba a destruir mi propia granja dos veces?

—Yo no estaría tan seguro —dijo Adam—. Los del pueblo pensarán que les quieres tomar el pelo.

Steve sabía que Adam tenía razón y quería limpiar su reputación. Tenía que encontrar a Thomas, no había otra opción.

—Tenemos que atrapar a Thomas —les dijo Steve—. Tengo que aclarar la situación.

Steve y los demás volvieron corriendo a la casa. No querían que Thomas se llevara más dinamita.

Al entrar en la casa, oyeron ruido en el dormitorio.

—¡Es Thomas! —dijo Adam—. Vamos por él.

Pero no fueron lo bastante rápidos. Thomas logró escapar saltando en el agujero.

—¡No lo sigan! —les dijo Steve—. Es mejor que pensemos nuestro plan aquí. Si bajamos al túnel, Thomas tendrá ventaja porque conoce todos los escondites.

—Y puede atraparnos allí —añadió Henry—. Ya lo ha hecho antes.

Pero decidir un plan no era sencillo, todos tenían su opinión al respecto.

—Yo digo que deberíamos esconder la dinamita por toda la casa y atrapar a Thomas mientras la busca —dijo Kyra.

—Pues yo creo que no deberíamos dormir porque Thomas parece trabajar de noche —sugirió Max.

Pero cuando Adam habló, Steve y los demás dejaron de discutir y escucharon con atención.

—Yo creo que deberíamos usar la poción de debilidad y hacerlo confesar. Sé que todos quieren que pague por sus crímenes, pero Thomas es uno de mis mejores amigos y tiene que haber una razón para que esté provocando todos estos problemas.

—Adam, tienes razón —dijo Steve—. Debemos hablar con Thomas. Además, también se ha llevado mi espada de diamante y quiero que me diga dónde está. Y también tiene que limpiar mi reputación.

El grupo se sentó a discutir el plan de acción.

—Quizá podamos usar todas las ideas y pensar en un plan maestro —dijo Steve.

—Sí —asintió Lucy—. Aunque deberíamos actuar deprisa. No me gusta que los aldeanos te llamen griefer. Sé que no pueden atacarnos, pero seguro que otra gente puede venir aquí y buscar venganza.

Steve y los demás decidieron cavar agujeros por la casa. Adam preparó todas las pociones que pudo con sus materiales. Lucy salió a cazar porque todos tenían que llenar sus barras de hambre. Iban a enfrentarse a Thomas y tenían que estar preparados.

Cuando tuvieron listo el último agujero, empezó a caer la noche.

—Ahora es cuando Thomas empieza sus desmanes —dijo Adam.

Steve se sentó en su cama e intentó no quedarse dormido. Bostezó. «¡Pam! ¡Clanc!» Steve oyó ruidos que procedían de fuera de la casa.

—Prepárense, chicos. Tenemos que ver qué pasa —dijo Steve.

El grupo salió de casa con cuidado. Adam encendió una antorcha y la colocó en la pared.

—¿Ven algo? —preguntó Lucy.

—No —dijo Max.

Steve pudo ver algo a lo lejos. Eran dos pares de ojos morados.

—Solo son unos endermen —dijo Steve.

—Pero están persiguiendo a alguien —dijo Lucy.

Los endermen se teletransportaron delante de Thomas mientras este llevaba un bloque de dinamita en las manos.

Dejó la dinamita en el suelo y sacó una espada.

—¡Esa es mi espada de diamante! —gritó Steve—. ¡Y la quiero de vuelta!

Steve sacó su espada de oro y corrió hacia Thomas y los endermen. Pese a contar con la espada de diamante de Steve, Thomas tenía dificultades pare defenderse de las criaturas. Los dos monstruos hacían unos gorgoteos que se volvían cada vez más fuertes.

—¡Socorro! —gritó Thomas.

Steve golpeó a uno de los endermen pero no logró herirlo. Combatió contra él mientras se adentraban en el prado. Estaba oscuro e intentó no tropezar mientras la criatura estaba cerca de él. Atacó con la espada de oro, el enderman se estaba debilitando. Steve sabía que había un acantilado a solo unos metros de allí. Luchó contra el monstruo hasta que llegaron a él y entonces lo golpeó para lanzarlo abajo.

Thomas se esforzó por derrotar al otro enderman pero no conseguía acabar con él. Steve se unió a la batalla y juntos lucharon usando las espadas de oro y de diamante.

Cuando al fin lograron destruir al enderman, Steve dijo:

—Quiero que me devuelvas la espada de diamante. No tienes ni idea de lo que me costó conseguirla.

—Lo siento —dijo Thomas mientras le entregaba la espada.

Steve sostuvo la espada de diamantes en las manos. Jamás pensó que volvería a reunirse con ella.

—¿Por qué lo has hecho? —preguntó Steve—. ¿Por qué me has robado la espada? ¿Por qué destrozaste mi granja de trigo? ¿Qué te he hecho yo a ti?

Steve no se dio cuenta de lo alto que estaba gritando y atrajo la atención de un ejército de zombis.

Kyra, Max, Adam y Lucy corrieron hacia los zombis para ayudar a su amigo. Mientras el grupo luchaba contra los muertos vivientes con Thomas, se preguntaron por qué los habría traicionado y por qué los estaba ayudando ahora con las bestias de tez verde. El grupo llevó a los zombis hasta el acantilado y se alzaron victoriosos contra las criaturas de la noche.

Cuando acabaron con los últimos zombis, guardaron sus armas. Todos excepto Adam, que agarró con fuerza su espada y caminó hacia Thomas.

—¡¿Cómo has podido hacer esto?! —le gritó apuntándole con la espada.

Thomas guardó silencio. No tenía excusa. Intentó escapar pero Adam sacó su poción de debilidad y se la lanzó encima.

Mientras se debilitaba, Steve se acercó a Thomas con su espada de diamante. Era hora de conseguir respuestas.

17
DISCULPAS

—¡**H**ay un jinete arácnido detrás de ti! —dijo Thomas con voz débil, pero Adam no le creyó.

—¡No me mientas, Thomas!

Con sus últimas fuerzas, Thomas sacó su arco y le disparó al esqueleto.

Adam se volvió rápido y golpeó a la araña con su espada, pero sin querer, su poción de rapidez y su poción de fuerza cayeron sobre Thomas. Adam chocó contra la araña y cayó al suelo. Max y Lucy corrieron para ver si estaba bien.

—Tranquilos. —Adam buscó a Thomas, pero había desaparecido—. He vertido sin querer mis pociones de rapidez y de fuerza sobre Thomas. Lo siento mucho.

—No creo que nos cueste mucho encontrarlo de nuevo. Ahora ya conocemos todos sus trucos —dijo Steve—. No ha sido culpa tuya, Adam.

Empezó a amanecer y el grupo volvió a la casa para proteger la dinamita y pensar en un plan para encontrar a Thomas.

—Seguro que está viviendo en una casa subterránea en uno de los túneles —dijo Lucy.

«Beee, beee.» Todos salieron de casa de Adam y vieron a las ovejas perdidas de Steve pastando en el césped de fuera.

—¿Ven a Thomas? —preguntó Adam mientras buscaba por la zona.

—¡Ha devuelto las ovejas! —dijo Steve al tiempo que agarraba su espada de diamante.

—Puedes guardar la espada, Steve —bromeó Max.

—Estoy tan contento de haberla recuperado que no quiero soltarla —dijo Steve.

Steve miró a las ovejas y se dio cuenta de que los días de vandalismo de Thomas habían terminado. Estaba usando a los animales como ofrenda de paz, pero no estaba seguro de que se mereciera el perdón.

Todos ayudaron a llevar las ovejas hasta la casa de Steve. Rufus ladró y Achuchones maulló cuando volvieron. Rufus fue hasta la granja destruida y Steve lo siguió.

—¡Chicos! —llamó Steve—. ¡Miren esto!

Alguien había trabajado la tierra y plantado semillas de trigo.

—¡Seguro que ha sido Thomas! —dijo Adam—. Está intentando compensarnos por todo el daño que nos ha hecho.

—Puede que haberlo rociado con esas pociones de rapidez y de fuerza no haya sido tan malo como pensábamos —dijo Kyra.

—¡Oh, no! —exclamó Max—. ¿Creen que también ha tenido algo que ver con eso?

Señaló una cabaña de bruja a solo unos metros de la granja.

—¡Una bruja! —gritó Lucy, corriendo hacia ella con la espada en mano.

—No, mejor usa el arco y las flechas, Lucy —le aconsejó Max—. Puede lanzarte una poción.

Pero la advertencia llegó demasiado tarde y la bruja le

arrojó con rapidez una poción de veneno, dejando a Lucy indefensa.

La bruja se bebió una poción de rapidez, pero antes de que la maligna criatura pudiera arremeter contra el grupo, Max le disparó con el arco.

El grupo acudió a ayudar a Lucy, que yacía en el suelo, y se sorprendieron al ver que Thomas había aparecido y ya estaba corriendo para ir a su rescate. Observaron en silencio cómo le daba a Lucy un poco de leche. Ella se la bebió despacio.

—Gracias, Thomas —dijo.

Mientras los demás se acercaban a ellos, Adam sacó su espada. No confiaba en Thomas. Se sentía traicionado, y pese a los gestos de arrepentimiento de su amigo, no estaba convencido de sus motivaciones.

—Lo siento mucho —dijo Thomas mientras se quedaba de pie al lado de Lucy, que iba recuperando las fuerzas poco a poco.

Pero las palabras de Thomas llegaron demasiado tarde; Adam se acercó con su espada.

—Adam —interrumpió Steve—, deja que se explique.

—Si lo atacas, jamás conseguiremos respuestas —dijo Lucy.

Adam no estaba escuchando.

18
CONSECUENCIAS Y FINALES

Adam acercó la espada a Thomas.

—No puedo creer que hayas causado tantos problemas. ¿Por qué lo has hecho?

—Lo... Lo siento mucho —balbuceó Thomas—. Todo empezó como una broma.

—¡¿Una broma?! —Adam levantó la voz.

Steve también estaba enfadado.

—¡Has hecho que toda la aldea crea que soy el griefer y además has destrozado mi granja dos veces!

—¡Y llenaste mi casa de lava! —añadió Kyra.

—¡A mí me atrapaste en una habitación de piedra base! —gritó Henry.

Thomas intentó defenderse.

—No me daba cuenta del daño que estaba haciendo con los desmanes, y cuando por fin entendí el mal que hacía, ya no sabía cómo parar.

—¿Que no te dabas cuenta del daño que hacías? —Steve no podía creer lo que oía.

—Empezó siendo una broma, solo estaba escondiendo tus pociones —dijo Thomas.

Adam estaba decepcionado de su amigo.

—No creo que esconder pociones sea divertido.

—Lo cierto es que como no te diste cuenta de que era yo quien robaba las pociones, quise ver qué más cosas podía hacer sin que te enteraras —confesó Thomas.

Steve se enfadó mucho al escuchar esas palabras.

—¡Solo estabas pensando en ti mismo!

—Solo quería ver cuántas trastadas podía hacer porque pensaba que era divertido. Y luego dejaba la lana, estaba esperando a que descubrieran que era yo. Lo siento mucho. No me di cuenta de que estaba causando tantos problemas. Me arrepiento de haber llevado esto demasiado lejos.

—¡¿Demasiado lejos?! —gritó Adam—. Me parece que te quedas corto.

Steve sabía que la disputa entre Adam y Thomas podía durar eternamente, así que a pesar de estar enfadado, dijo:

—Thomas, lo hecho, hecho está. Eres un griefer, pero no tienes que seguir siéndolo para siempre. ¿Qué puedes hacer para cambiar?

—Te he devuelto las ovejas y la espada. He plantado las semillas. ¿No ven que estoy arrepentido?

Kyra miró su casa a lo lejos, que seguía destruida por Thomas.

—No, no es tan sencillo —dijo.

—Te ayudaré a reconstruir tu casa —dijo Thomas.

—Creo que hay algo más importante que ayudarnos a reconstruirla —dijo Adam—. Tienes que ir a la aldea y decirles a todos que tú eras el griefer. Has manchado la reputación de Steve y tienes que limpiar su buen nombre.

Mientras se dirigían a la aldea, Thomas mantuvo la cabeza gacha. Steve pudo ver que estaba avergonzado. Es difícil admitir ante los demás que eres un griefer.

—Sé que no es fácil —le dijo Steve.

Henry no podía creer que Steve estuviera siendo tan bueno con Thomas. Era un griefer y merecía un castigo.

—¿Por qué estás siendo tan amable con él?

—Es difícil admitir que te has equivocado y Thomas está intentando arreglar las cosas —dijo Steve.

El grupo entró en la tienda de Eliot, el herrero.

Eliot se alegró de verlos.

—¡Hola chicos! ¿Vienen a hacer un intercambio?

—Hoy no —dijo Kyra.

—Thomas tiene algo que decirte —dijo Adam.

Thomas agachó la cabeza con vergüenza.

—Steve no es el griefer, soy yo.

—Thomas, ¿por qué has hecho eso? —preguntó Eliot—. ¡Y además has mentido!

—No quería que la gente pensara que yo era el griefer —respondió Thomas. No podía mirar a sus amigos a los ojos, pero habló con verdadero arrepentimiento y con remordimiento por sus actos.

Thomas caminó por la aldea y les hizo saber a todos que él era el griefer, disculpándose. Steve recuperó su buen nombre, pero Thomas no se libró de su culpa.

Empezaba a caer la noche y el grupo volvió a casa de Adam. Thomas les seguía el paso pero no dijo ni una palabra.

—¿Cómo esperas recuperar nuestra confianza? —le preguntó Adam.

—Quiero ayudarlos a reconstruir lo que he destruido, y devolveré todo lo que he robado.

—A mí me has robado tiempo con mis amigos —dijo Henry—. ¿Cómo piensas compensarme por eso?

Thomas pensó detenidamente en la pregunta de Henry y entonces respondió:

—Te prometo que seré el mejor amigo que jamás has tenido. Si te encuentras en problemas, te ayudaré donde sea. Si estás en apuros luchando contra el dragón del Fin, crearé un portal en segundos y me uniré a la batalla.

—¿En serio? —Henry seguía sospechando de él.

—Lo único que me molestó mientras hacía de griefer fue verlos trabajando como un equipo —dijo Thomas mirándolos.

—¿Que te molestó? —A Steve no le gustó cómo se había expresado.

—Sí, me gustaba verlos unidos, y he visto cómo cuidaban los unos de los otros. Eso me hizo sentir muy mal, me sentí solo.

—Pero dijiste que lo del vandalismo era solo un juego —dijo Adam.

—Los juegos no son tan divertidos cuando juegas solo. Y dejan de serlo del todo cuando hieren a otras personas —dijo Thomas.

El grupo pasó por casa de Kyra y se detuvieron para ver la casa llena de lava que había sido destruida por la dinamita de Thomas.

—Mañana voy a empezar a reconstruir la casa —dijo Thomas—. Y la haré más bonita que antes. Lo siento mucho.

Kyra tuvo que confiar en él.

—Está bien —dijo—, pero no puedes volver a decepcionarnos, Thomas.

—Tenemos que llegar a casa de Adam antes de que se haga de noche —dijo Lucy, y todos apretaron el paso.

Steve abrió la puerta de la casa.

—Está bien eso de entrar en casa y no tener que preocuparte de caer en un agujero y quedar atrapado en un túnel —dijo.

—O que alguien esté robando dinamita —añadió Lucy.

—Lo siento muchísimo, chicos. —Thomas se sentía fatal—. No volveré a hacerlo jamás.

—Te has reformado como griefer —le dijo Steve.

Cayó la noche y el grupo se acomodó en las camas. La noche pasó tranquila. No tuvieron que vigilar para evitar que entrara ningún griefer escurridizo y su rastro de lana. Al día siguiente empezarían las reconstrucciones. Esa noche pudieron dormir tranquilamente con sus agradables mantas de lana, soñando con todas las divertidas aventuras que tendrían ahora que no tenían que preocuparse por el griefer.

UNA INCREÍBLE AVENTURA
DE MINECRAFT
EN
BUSCA
DE LA
ESPADA DE
DIAMANTE
WINTER
MORGAN
DESTINO

Trucos para MINECRAFT

La guía no oficial
con todas las claves
y consejos que
ninguna guía oficial
te enseñará

Megan Miller

DESTINO

STEPHEN O'BRIEN

MINECRAFT

LA GUÍA DEFINITIVA

El manual
más completo
a todo color

Best seller
internacional

DESTINO